何のために働くのか

The most pleasant and admirable thing in the world is to have a job that one can carry out throughout one's lifetime.

SBIホールディングス
代表取締役社長
北尾吉孝

致知出版社

はじめに

昨今では、ほとんどの若者は「何のために働くのか？」について真剣に考えたことがないと思います。同様に「人間とは何ぞや」、「人生いかに生くべきか」といったことも、恐らく考えたこともない若者がほとんどだと思います。

戦前の日本の世界に誇るべき豊かな精神文化が荒廃し、今や家庭でも学校でも、人生の生きた問題を解決するための人間学とも言うべき学問を身につける機会がなくなったと言っても過言ではないでしょう。こうした状況に至ったということは真に悲しむべきことであります。

こうした問題は人間というものの本質、それから生ずる根本義ということを問うているのであり、これらに対して明確な概念や信念を持つことは極めて大事であると言えましょう。昔はこうしたことを学ぶことが、教養の根幹をなしていたのです。

ニートやフリーターと呼ばれる若者や就職後二〜三年で転職する者が激増するに至り、私は、いずれ仕事の思想とでも言うべきことを人間学の観点から書物にしておくことは社会的意義のあることだと考えその準備をし始めておりました。福沢諭吉の有名な「心訓七則」の中の二つが仕事にかかわるものです。すなわち、一番最初の

「世の中で一番楽しく立派なことは、一生涯を貫く仕事を持つことである」

と三番目の

「世の中で一番さびしいことは仕事のないことである」

であります。まさに、我々が生きるということは、仕事を通してであります。従って我々はできるだけ若い時から確固とした仕事観を持つことが極めて重要なのです。ちょうどそうした書物を準備し始めた折に、致知出版社の藤尾社長から本タイトルでの出版を依頼され、二つ返事で応諾致した次第であります。考えて見れば、私がこうした人間学の勉強を深められたのは、私淑《ししゅく》する故安岡正篤《まさひろ》先生の諸著作のおかげであります。多くの先生の著書が致知出版社から出されており、私のような浅学非才な者が同出版社から「仕事について」という重要かつ時宜を得たテーマで著作を上梓

できることは大変光栄であるとともに気恥ずかしい思いも致しております。
本書が迷える若者が仕事に励み、仕事に生きがいを見出す切っ掛けになってくれればと祈りながら筆を擱《お》きます。

平成十九年二月吉日

北尾　吉孝

何のために働くのか＊目次

第二章 古典が教えてくれたこと

第三章　あえて艱難辛苦の道を行く

第四章　誰でも仕事の達人になれる

第五章　天命をまっとうして生きる

装　幀――川上成夫
編集協力――柏木孝之
協力――アップルシード・エージェンシー
(http://www.appleseed.co.jp)

第一章

人間は仕事の中で成長する

働く目的をどこに求めるのか

幸福感がなければ働き続けることはできない

人は何のために働くのか――。

こう問われたら、何と答えるでしょうか。

よく「自己実現のため」と答える方がおられますが、私は、働くのは自己実現のためだとは解釈していません。あるいは、生活の糧を得るために働くというふうにも思っていません。

私が「働く」ことに求めてきたのは、そこに生きがいを見つけることでした。人はある程度の年齢になると職を持ち、それから以後の人生の大半を働いて過ごしていき人は何のために働くのか――。
こう問われたら、何と答えるでしょうか。

ます。もしも働くことに幸福感が感じられなければ、「自分の人生とは一体なんなのか」という不安や疑問が一生ついて回るように思うのです。

その点で、仕事とは人生そのものと言ってもいいと私は思っています。仕事に生きがいが見出せなければ、人生の意味がほとんどなくなるとさえ思います。

私の尊敬する経営者の一人である稲盛和夫さんは、

「働くことが人間性を深め、人格を高くする。働くことは人間を磨くこと、魂を磨くことだ」

とおっしゃっています。自己の人格的な成長は働くことによって得られるのだ、というわけです。私も、稲盛さんのこの考え方は全くその通りだと思っています。

私が学生時代にその著作に親しんだ中村天風さんは、

「人間出生、本来の使命は、宇宙創造の原則に即応して、この世の中の進化と向上を実現化するという使命をもって生まれてきたのである。この使命の遂行こそ働くという行為であり、人間本来の面目というものである。このような使命の遂行観に基づく自己実現の実感、これこそが生き甲斐なのだ」

「働くことが人間性を深め、人格を高くする。
働くことは人間を磨くこと、魂を磨くことだ」

と言っています。

天から与えられた使命を仕事を通じて達成することを天風さんは「自己実現」と表現しています。こうした自己実現であれば、確かに仕事の持つ一つの意味だと思います。ただし、これは今よく使われている自己実現とは意味が異なります。昨今言われる自己実現とはこれほど深い使命感に基づいたものではなく、むしろ個人の夢を達成する程度のものでしょう。

そうした今日的な意味において、「働くのは自己実現のため」と簡単に言い切れるものではないと私は思うのです。ましてや生活の糧というのは、最低限の目的と言ってもいいのではないでしょうか。

自分の価値をお金に置き換えるアメリカ人

人は何のために働くのかと問われたとき、アメリカではよく「バリュー（価値）を上げるために働くのだ」という言い方をします。彼らは、働き、経験を積み、知識を増やすことで自分の価値が上がっていくという考え方をするのです。そして、価値が上がると、どんどん職を変えていきます。

あるアメリカの機関投資家のポートフォリオ・マネージャーと話をしていたとき、彼はこう言いました。

“Man should think about his job every seven years.”

（男は七年ごとに自分の仕事について考えていくものだ）

七年ぐらい同じ仕事を続けていくと、自分の知識や経験が増えてくる。また、いろいろな人と知り合いになって、人脈ができてくる。それらが一つのバリューになって、次のステップアップにつながっていくのだ、という意味です。

このときのステップアップとは、言い換えれば「自分の年収がどれだけ増えるか」という意味になります。アメリカ人の場合、この考え方が比較的はっきりしています。エリートビジネスマンであれば、リタイアするまでにだいたい十億円を貯め込むことを目標とする。これが彼らの基本的な発想です。

そこには天命にしたがって働くという考え方は全くありません。それよりも、リタイアしたあとの人生をいかに楽しむかが、彼らにとっては大きな問題なのです。

ところが、私が話したポートフォリオ・マネージャーが言うには、彼の卒業したビジネススクールの同級生の三分の二がリタイアするころまでに離婚をしているそうです。ということは、必ずしもリタイア後に夫婦で一緒に人生を楽しみたいと考えているわけでもなさそうです。

「離婚して別の人と再婚して新たな人生を楽しむ、という考え方なのかな」

と私が聞くと、彼はこう答えました。

「まあそれも一つの考え方だね」

どんな人生を生きるのかは人それぞれです。だから、このような考えを否定するものではありません。

しかし、仕事に求めた自己実現の結果がこうした結論に至るのだとしたら、それはあまりにも寂しいし、つまらない人生だと私には思えます。少なくとも自分には、そういう生き方はできないなと感じるのです。

仕事とは天命に従って行うもの

こういう話を聞くと、「働くことは自己実現のため」という考え方は、西洋には当てはまる部分があったとしても、東洋にはとても当てはまらないなと感じてしまいます。

東洋思想では、仕事とは天命に従って働くことだと考えます。仕事という字を見てください。「仕」も「事」も「つかえる」と読みます。では誰に仕えるのかといえば、天につかえるのです。天につかえ、天の命に従って働くというのが、東洋に古来からある考え方です。

かつては働きに出ることを「奉公に出る」と言いました。これは「公に奉ずる」「公に仕える」という意味です。こういう考え方は、西洋には全くと言っていいほど見当たりません。

とはいえ、東洋と西洋で何から何まで考え方が違っているというわけではないのです。たとえば、私の理解では「仁」の思想はキリストの「愛」と全く同じものと考え仕事という字を見てください。「仕」も「事」も「つかえる」と読みます。では誰に仕えるのかと言えば、天につかえるのです。

ていいと思います。それは仏教の世界で言えば、「慈悲」でしょう。

こういう世界に共通する考え方もあるのですが、こと仕事に関するとらえ方についてては共通項がなかなか見つかりません。

ただ一点だけ、ピーター・ドラッカーの次の言葉には共通点を感じました。ドラッカーはこう言っています。

「経営とは人を通じて正しいことをやることだ」

さらに、

「経営者としてもっとも大事な身につけなくてはならないのは品性だ」

と。

この考え方は、万国に共通していると言っていいと思います。しかし、仕事そのものの中に生きがいや働きがいを見出していこうという考え方は、どうも東洋独特のものであるようです。少なくとも、アメリカ人と議論した中では全く感じませんでした。

そういうアメリカ的な発想が、最近、日本にも入り込んでいるように思います。それが日本人の仕事のとらえ方にかなりの影響を及ぼしつつあるように私は感じています。

「公のために働く」という日本の思想

日本の伝統的な仕事に対する考え方とは、まさに「公に奉ずる」というものです。日本人が好んで使う「志」という字に、それはよく現れています。志は十に一に心と書きますが、この「十」は多数のことで一般大衆を意味し、「一」は多数の取りまとめ役でリーダー、あるいはリーダーシップを意味します。

つまり、志とは理想を掲げてリーダーシップを発揮して大衆を引っ張っていく。そういう責務を持って、世のため人のために尽くすものだと私は定義しています。したがって、この志の高さによって、やろうとする心、自らを律する強さも変わってくるのです。

アメリカではそんな発想はしません。理想を持ち、それを達成しようという意志はあります。しかし、それは必ずしも公のためにやっているわけではありません。むしろ自己実現という言葉の通り、「自分のため」の理想なのです。

もちろん、ビル・ゲイツのように、アメリカ一のお金持ちになって、その莫大な資産を寄付してゲイツ財団を創設し、世のため人のために貢献している人はいます。ゲイツに次ぐアメリカ第二のお金持ちのウォーレン・バフェットも、ゲイツ財団に大金を寄付しています。

この例のように、アメリカの伝統思想の中には、ボランティア活動をしたり寄付をしたりして世のため人のために尽くすという考え方は存在しています。この思想を作り上げたのは、おそらくカーネギーだと思います。カーネギーは鉄鋼王となったのち、会社を売却し、全財産を寄付して教育や文化の振興に貢献しました。かつてビル・ゲイツも、カーネギーを手本にしたいと発言しています。

そういう形で、世のため人のためになる慈善事業を行っている人が存在するのは確かですが、それは必ずしも仕事の中で実現しようという姿勢ではありません。むしろ仕事においてはお金を稼ぐことに徹し、世のため人のためになる事業はリタイアしてからやる、という考え方なのです。これは、仕事そのものの中に世の中の発展に尽くすという考え方が埋め込まれている日本とは明らかに異なっています。

繰り返しになりますが、日本に伝統的に根付いている仕事観は次の二点に集約されると考えられます。

①仕事とは公のためにするものである。

②仕事とは天命にしたがって行うものである。

そして私は、自分の天分をまっとうする中でしか生きがいは得られない、と思っています。

しかし残念ながら、今そういうふうに考える経営者は少ないようです。松下幸之助さんは明らかにそういう考え方をお持ちでしたし、稲盛和夫さんもそうです。けれど、昨今のほとんどの経営者は、そうは考えていないようです。それだけ日本人の仕事に対する考え方が変わってきているのでしょう。アメリカ流の考え方が、日本人の仕事観の中にかなり入ってきているのです。

問題は、アメリカ流の仕事観に基づいて仕事を進めていくのが日本人にとっていい私は、自分の天分をまっとうする中でしか生きがいは得られない、と思っています。

ことなのかどうか、という点です。アメリカの状況を観察すれば一目瞭然ですが、仕事についていけない人、脱落してしまう人がどんどん出てきています。日本でも近年、ニートやフリーターの増加が社会問題化しています。勝ち組、負け組という言葉に象徴されるような大きな経済格差も生まれています。

仕事そのものに対する考え方がアメリカ流になればなるほど、こういう人たちが増えてくるのは必然なのです。それを日本人は受け入れる覚悟があるのかどうか、これが今まさに問われている点なのではないかと思います。

いい仕事をする前提にある人間としての成熟

経験の積み重ねが人間の深みとなる

過日、大学を卒業したばかりの若手社員たちに人間学をテーマとした話をしました。そのあとで参加者に感想文を書いてもらったのですが、それを読んでいて若い人たちの物事のとらえ方がいかに浅いかを思い知らされました。

大卒の二十二、三歳の若者であれば、もう少し深みのある感想文が書けてもいいのにと思うのですが、なかなか難しいようです。それ以前にもいろいろなテーマを与えて感想文を書かせてきました。その中には非常に優れたものも数多くあったのですが、今回の人間学についての感想文は一番出来が悪かったように思います。やはり、人生経験の浅さなのかなという感じを受けました。

こういうテーマについては、真剣に働いてきた年配の人ほど内容に深みがある意見を書いてきます。その違いを見ると、確かに人生経験の重みというものがあるのだと率直に認めたいと思うのです。苦労の体験が多ければ多いほど、人間に対する洞察力が深まってくる。そういう感想を抱きました。

ベテラン社員とまでいかなくても、二、三年でも働いた経験がある人は、新入社員に比べてはるかによい所感を書いています。社会での経験とか体験がいかに大事かということでしょう。

自分自身を振り返っても、そう思います。たとえば、私は中学生のときに初めて『論語』にふれ、以来、何回となく読み返してきました。その都度、感銘を受けた箇所には線を引っ張っておきました。すると、社会での経験を積むにつれ、線を引く箇所が違ってくるのです。そこに私のいろいろな体験や思索の結果が反映されているのがわかります。

仕事に対する考え方もこれと同じでしょう。経験や体験を積めば積むほど、それは深まっていくものなのだと思います。

それでは人生経験の浅い若い人には何を教えても無駄なのかという話になりそうですが、そうとは言い切れません。時代は違いますが、吉田松陰や坂本龍馬をはじめとする幕末の志士たちの言行、あるいは太平洋戦争のときに死を覚悟して戦地に赴いた若者の親に宛てた手紙などを読むと、非常な深みが感じられます。

若いからと言って、人間を深く見る感性が発達しないわけではないのです。今の若い人たちの見方が浅いのは、明らかにその成長過程に理由があるのでしょう。学校でも家庭でも、人間について学ぶ機会がなくなっているのです。人間学というものを一切勉強してこない状態で社会に出て、いきなり「人間とは何ぞや」「仕事とは何ぞや」と問われても、心の中に響くものが何もないということでしょう。それは当たり前と言っていいかもしれません。

違う表現をすれば、まだまだ心が練れていないのです。今の若者たちは、豊かな時代に親の過保護のもと、言われるがままに育ってきています。大きく打てば大きく響く、小さく打てば小さく響くと言いますが、まだ自分という人間が十分にできあがっていないのです。

そういう状況を考えると、何のために働くのかを考える前提として、まず人間とは何か、人間としていかに生きるべきか、を教えていく必要があると思っています。仕事を通じて自らの能力を発揮する前提として、人間の根本を養うための人間学が必要だと思うのです。

よく生きるために欠かせない人間探求

人間としての根本を養うために実践するべきこととして、次のようなものがあげられます。

・心の糧になるような本を読む。
・自分が私淑できるような師を持つ。

・さまざまな経験や体験を踏まえて自分を練っていく。

これらを常に意識して、自分で自分を成長させていくように心がけなくてはいけません。そうしないと、いつまでも仕事のとらえ方が浅いままで終わってしまいます。これらは、人間として大きく生きるための下地づくりとして欠かせないものです。最近は、社会人になって下地づくりから始めなくてはならないという人が非常に多いように思います。それほど、今の若い人たちは人間学というものから遠のいてしまっているのです。

私たちの生きている社会は人間のつくった社会です。仕事をする相手も人間です。人間抜きには何も語れないのです。したがって、人間とは何かと考えることは、よく生き、いい仕事をするためには欠かせない大きなテーマになります。

敬虔《けいけん》なキリスト教徒であったり、信心深い仏教徒であったりすると、学問の有無は別にして、案外人間について深く考えているものです。ところが、今の日本は全くの無神教と言ってもいいくらいの状態で、宗教の力にはあまり期待できません。そのう

人間とは何かと考えることは、よく生き、いい仕事をするためには欠かせない大きなテーマになります。

え、学校でも道徳は教えないし、家庭でも厳しく躾《しつ》けられないという状態のまま、子どもたちは成長しています。

これでは人間学の必要性をいくら声を大にして唱えても、なかなか理解してもらえないかもしれません。まず、そのあたりを改める必要があります。社会に出て活躍したいという気持ちがあるのなら、人間というものの探求が絶対に欠かせないのです。人は何のために生きるのか、何のために働くのかといった根本をしっかり身につける必要があると思います。

人間を鍛錬するためのテキスト・四書五経の重み

昔は、子どものときには中国古典の「小学」という、体系的であり、しかも歴史を経た本を読んで人間を磨いていきました。そして、「小学」を身につけたら「中学」・「大学」へと移っていくというように、学ぶ順序が決まっていました。「論語」「大学」「中庸」「孟子」の四書と、「易経」「書経」「詩経」「礼記」「春秋」の五経が、その最上のテキストになっていました。四書五経《ししょごきょう》の世界は、人間を鍛錬《たんれん》するうえで非常に重要なものであったのです。

たとえば、あの明治維新というものは、当時の人たち、特に新しい時代を築き上げようと燃えていた若者たちにとって、大変な決断を迫られる出来事であったと思います。

どのように判断し、どのように行動するか――。

一人ひとりがそれを真剣に考えた末に、革命という激烈な形をとらず、維新という穏やかな形で権力の移譲が行われました。これは素晴らしい判断であったと今にして思います。その大本に、四書五経に裏打ちされた人間と人間社会に対する深い洞察があったことは間違いありません。

現在は、そういう長い歴史を経て育まれてきた人間としての生き方を教える場がなくなっています。今、親が子どもに伝えていることと言えば、「嘘をついてはいけない」とか「仲良くしなければいけない」といった体験的に身につけてきた意見や考えがせいぜいでしょう。しかし、これらは人間学的な蓄積を裏づけとして語られたものではないため、浅いのです。それゆえ説得力に乏しいのです。だから、子どもたちがある程度の年齢になってくると、「自分の親は当たり前のことしか言わない」と親を見下すようになったりするのです。

また、親の側にしても一度口にした意見が終始一貫しているわけではありません。たとえば、「点数ばかり気にするな」と子どもに言っていた親が、あるときから偏差値を気にしはじめ、人としての生き方などどこかへ忘れて、「いい学校に入らないと、いい会社に就職できないぞ」と言うようになってしまいます。

しかし、いい点数を取って、いい学校へ進み、いい会社に就職できたとしても、それは必ずしも人間として優れているというわけではありません。それは今日、高学歴の人間たちが起こすさまざまな不祥事を見れば明らかです。

むしろ親は、勉強がいくらできても人間的に未熟であっては意味がないということをはっきり子どもに教えるべきなのです。そのうえで、人間として一流になるためにはどういう勉強をするべきなのかを教え、導いてあげるべきです。それが親の務めというものではないでしょうか。

仕事がもたらす人間的成長とご縁

艱難辛苦が人間的成長を促す

今春入社する新入社員九十三名の内定式を行ったときの話です。内定式のあとで懇親会を開き、その席上、新入社員の何人かに話をしてもらいました。こちらから指名するのではなく、自ら手をあげた人に話をしてもらったのです。

何人かが手をあげました。自ら進んで手をあげるくらいですから、そういう学生はやはり自信があるようです。どれも非常にいい話でした。新入社員なのにどうしてそんな話ができるのだろうと思っていたら、結構年を食っていることがわかりました。普通、新卒で入ると二十二、三歳というところですが、その学生たちの中には二年ぐらい留年をしていて二十四、五歳の者もいました。

留年をしていると、普通の会社はなかなか採用しないものですが、当社の場合、新卒採用でも年齢は問いません。人物を見てどうか、という点を選択の基準にしているからです。


話をしたうちの一人は苦学生で、学費や生活費はアルバイトをして自分で賄《まかな》い、しかも家に仕送りをしていると言いました。最初は、なんでこんなに苦労しなければならないのか、と思ったそうです。学費や生活費を稼ぐために働かなくてはいけないから、友達をつくる時間もない。遊んでいる他の学生が羨《うらや》ましくてしかたなかった。なんて自分は不幸せな人間か……。

そんなとき、彼はアルバイト先で、自分よりもっと苦労している人に出会います。その人といろいろ話をしているうちに、

「世の中には自分より不幸せな人間がいる、自分なんていいほうだ」

と思うようになり、

「二度と愚痴を言うまいと誓った」

というのです。

彼は堂々とした態度でしっかり話しました。立派なものだと思いました。艱難辛苦《かんなんしんく》の中で育ったからこそ、彼は自ら手をあげて、多くの人の前でも臆することなくこうした話ができたのでしょう。

若いときの苦労は買ってでもしろと言いますが、苦労した見返りとして、彼は人間的成長を得たのです。

働くことの対価とはお金だと考えている若者が多いようですが、そうではありません。ぎりぎりの生活の中で彼がつかんだ仕事の対価とは、自らの成長だったのです。

彼は、学費や生活費や仕送りのお金を稼ぐために必死になって働きました。しかも、自らの学生としての本分である学業にも必死に取り組みました。仕事と勉学を両立させて必死にやってきた結果、留年はしたものの、希望した会社に就職できたのです。

そしてまた、人間的にも大きく成長したわけです。

一所懸命働けばよいご縁が結ばれる

このように、一所懸命に働けば、その見返りとして人間的に成長できるのです。これこそ仕事の対価です。それとともに、仕事にはもう一つの対価があります。それは「ご縁」というものです。

この学生の場合は、同じアルバイト先にいた自分よりも苦労している人との巡り合いが「ご縁」だったのでしょう。もしその人に巡り合わなければ、彼はずっと「自分はなんでこんな不幸な星の下に生まれたのだろうか」と思い、ネガティブな人生を送っていたかもしれません。そうなっていれば、一生、幸福感は得られなかったでしょう。

その人と巡り合ったおかげで、彼は自分の考え方の誤りに気づき、本来あるべき生き方に目覚めていったのです。そう考えると、ご縁というのも必死で働いたことの対価として与えられるものだと言えると思います。

ＧＮＰ世界第二位の豊かな国日本では、真面目に働いている限り、食べていけるだ一所懸命に働けば、その見返りとして人間的に成長できるのです。これこそ仕事の対価です。それとともに、仕事にはもう一つの対価があります。それは「ご縁」というものです。

けのお金は稼げます。徴兵制もないし、言論の自由をはじめ非常に広範囲に自由が認められています。大学で勉強しようと思えば、どこの学校の試験も自由に受けられます。合格すれば、原則として学費を納めておけば退学にはなりません。だから、通学の傍《かたわ》らアルバイトをしてでも学業を続けていけるのです。

しかし、これが当たり前だと考えてはいけません。むしろ、勉強したくても叶《かな》わない人たちのほうが世界には圧倒的に多いのです。だからまず、こんなありがたい環境に生まれてきたことに、日本の若者は感謝しなくてはいけません。それからまた、自分の成長を助けてくれるさまざまなご縁に感謝することが非常に大事だと思います。

一所懸命に働けば、お金以外の対価が与えられることを気づかせたという意味で、この学生のスピーチは、年下の同期入社組にとっても非常にいい刺激になったのではないかと思っています。

どうすれば天職に巡り合えるか

素直に受け入れ、一心不乱に取り組む

最近は仕事をちょっと齧《かじ》った程度で「この仕事は自分の思っていたものではない」と決めつけて、あっさり会社を辞めてしまう人がたくさんいます。あるいは、先輩に少し怒られたからといって挫《くじ》けてしまう人が非常に多いようです。

しかし、好き嫌いで判断している限り、決して自分の望んでいる仕事には巡り合えないと私は思います。

まだ社会経験の浅い人たちにとって何よりも大切なのは、まず一心不乱に仕事に打ち込むことです。そして、謙虚になって先輩に教えを請うてみることなのです。

好き嫌いで判断している限り、決して自分の望んでいる仕事には巡り合えないと私は思います。

必死に仕事に打ち込んでいたら、それなりのものが必ず身についてきます。自分自身の成長が目に見えて明らかになります。その努力に天がご縁を与えてくれて、飛躍のチャンスがやってくるのです。

松下幸之助さんは「素直であることが非常に大事だ」と言われていますが、その通りです。なんでも素直に受け入れて、一心不乱に取り組む姿勢が大切なのです。受け入れてみなければ、いくら待ってもチャンスはやってきません。

「まず受け入れなさい。そして、必死になってやりなさい」

私はいつも、若い人たちにそうアドバイスしています。必死になってやってみて、初めて人間的に成長し、そこにいろいろなご縁が与えられるのです。

天職を見つけるには「続けること」

自分の「天職」を見つけたいがために「転職」を繰り返す若者がいます。天職とはいったいどういうものでしょうか。そのとらえ方はいろいろあると思います。

たとえば、最初は特に好きではなかった仕事でも、ずっと続けているうちにいつの間にか熟達して、「これが自分の天職だったんだ」と思えるようになる場合もあるでしょう。あるいは、最初から好きで好きでたまらないという仕事を続けていくうちに、さらに好きになって三昧《さんまい》の境地に入るというケースもあるはずです。

このように天職の受け取り方は人それぞれです。ただ一つ言えるのは、たとえば絵が好きだからと美術学校に入って一所懸命に勉強し、卒業して十年が経ったときに絵描きで生活をしている人は、それほど多くはないだろうということです。要するに、どんな仕事を選ぶかは、必ずしもその人の才能とは関わりがないのではないかと思うのです。

確かに天職の一つの要件として、その仕事が好きだという理由はあげられるでしょう。しかし、仕事が好きになった時期は人によって違うはずです。最初から好きだった人もいれば、続けているうちに好きになった人もいるでしょう。そう考えると、それがどんな仕事であれ、やってみなければ自分の天職なのかどうかはわからない、という結論になります。

ところが最近は、その仕事が天職かどうか判定できるようになる前に、あっさり転職してしまう人がたくさんいます。それではいつまで経っても、自分の天職に巡り合うことはできないでしょう。やはり一つのことを始めたら、簡単には諦めないでとことんまでやり遂げてみる。それが非常に大事だと思います。

「一芸に秀《ひい》でる」という言葉があります。どんな仕事でも一芸に秀でるところまで打ち込んだ人の言葉には、なんとも言えない奥の深さと重みがあるものです。それはまさに、数々の苦難を乗り越えながら仕事を通じて人間的な成長を遂げた結果だと思います。私は、天職を見つけた人の誇りをそこに感じるのです。

かくのごとく、もし本気で自分の天職を見つけたいという気持ちがあるのなら、まずは与えられた仕事を素直に受け入れることです。そして、熱意と強い意志を持って、一心不乱にそれを続けていく覚悟が必要だと思います。

もし本気で自分の天職を見つけたいという気持ちがあるのなら、まずは与えられた仕事を素直に受け入れることです。そして、熱意と強い意志を持って、一心不乱にそれを続けていく覚悟が必要だと思います。

自分がわからなければ、働き方もわからない

あなたはどんな生き方をしたいのですか

私は当社への入社を希望する学生たち、二百〜三百人と直接会って話を聞いています。

面接というと、普通は大学名を聞き、学校の成績を聞き、そしてクラブ活動でどういう役割をしていたかを聞く。それから、志望動機を聞いて、同業他社との違いを聞いて、面構えをチェックする。そういうパターンが大半です。

しかし、私は他の多くの会社とは違う一風変わった質問をしています。つまり、人間学的な立場から面接を行っているのです。それゆえに、どうも当社には少々変わっ

た人が入社してくる傾向があるようです。

たとえば、私はこんな質問を投げかけてみます。

「あなたは人生の中で、どういうことに最も喜び、どういうことに最も悲しみましたか」

こう質問をすると、月並みではない、いろいろな答えが返ってきます。

「親が亡くなったことです。今、生きていたら親は非常に喜ぶと思います」

というように、親に対する情愛を答える人がいました。

「大学に入ったことが一番嬉しかった」

と答えた学生もいます。その学生には、

「その程度であなた喜ぶの？　大学に入るということがあなたにとってそんなに大事なこと？」

と聞き返しました。そうすると、彼はそこで改めて自分の生き方を見つめ直す必要が出てくるのです。

つまり、私の質問にどう答えるかで、その人が自分の人生をどれだけ深く考えてきたのかがわかる仕組みになっているのです。それを知るために、こんな質問もしてみます。

「あなたこれからの人生を、どういう人生にしたいと思いますか」

その人間が今までどういう人生を送ってきて、これからどういう人生を送りたいのかを聞きたいのです。ここがまず一番大事なポイントだと考えているからです。人間として生まれて、あなたはどういう生き方したいのか。あなたという人間は世界に一人しかいない。これから社会に出て四十年あまりも働き続けることになる。この長い歳月をどう生きたいのか。

私はそこが聞きたいし、知りたいのです。

こういう質問をする経営者はほとんどいないと思います。しかし、自分をどれだけ深く見つめられるかどうかが、仕事を通じて成長し、世のため人のために活躍できるかどうかの分岐点になると私は考えています。ゆえに、あえてその人の本心が見えてくるような質問をぶつけてみるのです。

自分を知らなければ成長はできない

面接での私の質問は、もちろん生き方だけにとどまりません。幅広い視野を問うような質問もします。

「今、教育改革について議論されているけれど、あなたはどういう教育がいいと思いますか。あなたが受けてきた教育についてどう思いますか」

「今、日中関係が非常に悪くなっているけれど、どう思いますか。あなたが総理大臣ならどういうふうにしますか」

「あなたは国際性豊かな人間とはどういう人間だと思いますか。英語が話せれば国際的な人間ですか」

そして質問の最後にこう聞くのです。

「今いろいろ質問してきたけれど、あなたは僕の質問をどういうふうに思いましたか、感想を言ってください」

この質問を、八人ぐらいの集団面接で全員にしています。

さらには、

「みんながいろいろ僕の質問に答えてくれたけど、あなたは誰の質問に対する答えが一番印象深かったですか」

というような聞き方をすることもあります。

これらの質問をすると、面接を受けている学生は自分の答えばかり一所懸命に考えているわけにはいきません。私は、他人の話も聞けて自分自身の意見もきちんと述べられる、そういう人間を採用したいのです。

今のような質問に対して自分の意見をきちんと述べるためには、日頃から自己観察をして、自分自身のことをわかっていなくてはなりません。つまり、自得というものがなければ駄目なのです。

あらゆる行動の前提に、この自得の問題があります。自分のことがわからなければ、人生いかに生きるべきかなどわかりません。己を知らない人が、どうして自らの将来を意識して変えることができるでしょうか。いくら周囲が「変えなければいけないよ」とアドバイスしたところで、それは無理な話です。

私は面接で、その人がどれだけ自分について考えているかを聞きたいのです。それが目的ですから、一夜漬けは絶対にききません。自分の能力、自分の性格、自分のすべてを正しく見ている人間でなければ、なかなか応えられないと思います。

私が本当に欲しいと思う人間は、いわゆる成績のいい優等生ではありません。人間としてすぐれた可能性を持ち、仕事を通じて社会の中で成長していける人たちを採用したいと思うのです。そういう人たちと一緒に、世の中をよい方向へと変えていきたいと考えているからです。

第二章

古典が教えてくれたこと

私の精神を形づくってきたもの

父方の祖先から受け継いできた血の力

血というのは恐ろしいものです。現在の自分を考えるとき、江戸時代後期の儒学者である祖先の北尾墨香《ぼっこう》（墨香は号で、同時代の著名な儒学者・篠崎小竹《しょうちく》から授かったもの）の存在が非常に大きくかかわっていることを感じます。

この北尾墨香があったからこそ、祖父があり、父がある。わが家系は北尾墨香の血筋を引いているため、儒教の世界が身近にありました。また、墨香は数冊の本も書いていますが、自然とその血を受け継いだ人たちが北尾家から生まれ出ています。

たとえば、北尾禹三郎《うさぶろう》という私の曽祖父にあたる人は、大きな書肆《しょし》（書店）を経営していました。そのため村山龍平が朝日新聞をつくるときに、「北尾さんのところで新聞を売ってくれないか」と依頼にやってきたのです。その縁で、禹三郎は北尾新聞舗という販売店をつくり、大阪一円の朝日新聞の販売権を持つことになりました。これは朝日新聞の社史にも載っています。

この新聞販売事業は祖父の代まで約六十年間続きました。そして、私の父の北尾精《せい》造《ぞう》の代になると、今度は洋書の輸入販売会社の経営を始めます。これらは、北尾墨香の血を受け継ぐ北尾家の一連の歴史です。その流れの中に私が生まれてきたということなのです。

母方の祖父から受け継いだ躾と習慣

一方、母方の祖父の存在も大きなものだと思います。祖父は東洋綿花（現在のトーメン）という会社の第五代社長になり、戦後のＧＨＱによるパージによって公職追放されました。

この祖父は、学歴といえば高等小学校中退ですが、苦労して独学で勉強し、文部省の大検を一番で通って当時の三井物産に入社し、綿花部に配属されたのです。その綿花部が独立して東洋綿花という会社になり、そこでの仕事ぶりが認められて社長になりました。船に乗っては中国へ行き、中国語を習い、中国人と同様のレベルで読み書き会話ができたと聞いています。

祖父は芦屋に住んでいました。私は子どものころによく遊びに行っていましたが、あるとき箸《はし》の使い方を習いました。豆をばら撒《ま》いて、「箸をまともに使えない奴は駄目だ」といって私に拾わせるのです。

また、今でも忘れられないのは、幼稚園くらいのときに「男は社会に出たら耳をそばだてて、目をサラのようにして、あらゆることに真剣に生きていかないといけない」と言われたことです。まだ幼少期であったにもかかわらず、私は祖父から重要な人生心得を学んだように思いました。

その祖父に母親が育てられ、その母に私が育てられたのです。

「男は社会に出たら耳をそばだてて、目をサラのようにして、あらゆることに真剣に生きていかないといけない」

当時は綿花を輸入して綿製品を輸出するという加工貿易の時代でした。それは日本の花形産業で、非常に羽振りのいい業界でした。だから祖父が赴任した香港でも上海でも、お手伝いさんを何人も雇っていたそうです。

しかし、そういう非常に景気のいいときでも、祖父は娘たち、つまり私の母親たちには使用人を一切使わせなかったのです。「お前たちが使うために雇っているのではない。自分のことは自分でやりなさい」と言って、非常に厳しく育てました。それは、娘たちがどんな家に嫁ぐかわからないから、という祖父の思いやりでもあったようです。

そうして厳しく躾けられ、習慣づけられて育てられたことが骨の髄まで染み込んでいるのでしょう。うちの母親は八十歳を超えていますが、今でも家に行くと掃除が行き届いていて、まさに一点の曇りもないという感じです。きちんと整理整頓がなされています。

躾と習慣というのは、よい人生を送るうえでとても大事なものだと思います。私が何よりありがたかったと思うのは、そういう躾と習慣の中で育ってきたことです。それがすべての基礎となっているように感じるのです。

父の古典教育法

父は、私が幼稚園に上がる前から簡単な中国古典のいろいろな片言隻句《へんげんせっく》を日常会話の中で使い、私たち兄弟を古典の世界へと誘《いざな》ってくれました。もちろん、幼かった私に父の口にする言葉の意味などわかりません。

父にしても、それは承知していたと思います。ただ、わかっているかいないかにはかかわりなく、まず興味を持たせようとしたのではないかと思うのです。興味が芽生えなければ自発的な勉強は期待できませんし、いくら教え込んだところで身につくはずもありません。

事実、その片言隻句が次第次第に私の中に染み付いていって、私は長ずるにつれて古典に興味を持ち、自ら進んで読むようになっていったのです。そうした意味で、あの父の教育が私の思想の原点であったと思うのです。

そうした父の古典教育が特に発揮されたのは、私が悪さを働いたときです。父の引用する古典の言葉によって懇々と諭《さと》されました。また、晩酌をしていて興が乗ってくると、漢文の白文を持ってきて自ら読み上げて、その意味を教えてくれました。漢詩の朗読などもよくやっていました。

当時、頻繁に父から聞いた言葉をいくつか紹介してみます。

「積善の家には必ず余慶《よけい》あり。積不善の家には必ず余殃《よおう》あり」

これは易経にある言葉で、「善行を施す家には必ず余分の恵みがある。また不善を施す家には必ず余分の禍がある」という意味です。

「天網恢々疎《てんもうかいかいそ》にして漏《も》らさず」

これは有名な老子の言葉です。「天の網の目というのは広いように見えて決して悪を逃すことはない」という意味になります。

「天知る、地知る、子知る、我れ知る、何ぞ知ることなしと謂《い》うや」

これは後漢書や十八史略の中に出てくる言葉で、「誰も見ていないと思ってもそんなことはない。天が知っているし、地も知っている。お前も知っているし、私も知っている。どうして知るものがないなどと言えるのか」という意味です。

「天行健なり。君子は以て自彊《じきょう》してやまず。地勢坤《こん》なり。君子は以て厚徳載物」

これも易経の言葉です。「お天道さんは一日も休むことなく健やかに運行している。君子はそれと同じように努力し続けなければいけない。また大地はあらゆる生きとし生けるものを育てている。君子はそれと同じように徳を厚くして、大きな心・度量を持ってあらゆるものを受け入れて行かないといけない」というような意味です。

父はこういった言葉を、私が非常に幼かったときから何度も何度も、まさに耳にタコができるくらい言い聞かせました。そういう環境に置かれた私は、次第に中国古典に親近感を持つようになり、そして自分でもさまざまな読書をするようになったというわけです。

父の教え方には特徴がありまして、たとえば「少年老い易く学成り難し」という言葉を教えるときは、「少年老い易く学成り難し、一寸の光陰軽んずべからず、未だ醒《さ》めず池塘《ちとう》春草の夢、階前《かいぜん》の梧葉《ごよう》すでに秋声」というところまで覚えさせるのです。

「人間というのは若いと思っているうちに、すぐ老人になってしまい、学問はなかなか進まないものだ」と教えるのは普通ですが、父は「だから、寸暇《すんか》を惜しんで勉強しないと、人生というのははかないもんだ」というところまで説くわけです。そして、この後半部分が、私への戒めとなりました。

古典が私に授けた五つの人生観

天の存在を知り、自らを省みる

そうやって古典を学ぶうちに染み付いてきた人生観が大きく五つあります。次の五つです。

①天の存在

一つは「天」というものの存在を意識し始めたことです。天は神と言ってもいいのかもしれませんが、創造主たる宇宙の根源、この世を超えた世界、そういった存在というものがあるのだと思うようになったのです。

そうした存在が天にあるのだから、一人でいて誰にも見張られてないからといって何をしてもいいわけではない。人は見ていなくても、天は必ず見ているのだと考えました。まさに「天知る、地知る」の世界です。「君子必ずその一人を慎む」と言うように、自らを律するという意識を持たなければいけないのです。

また論語の中には、

「君子に三畏《さんい》あり。天命を畏《おそ》れ、大人《たいじん》を畏れ、聖人の言を畏る」

とあります。「君子には三つ畏れるものがある。天命、天から与えられた命を畏れる。そして大人、立派な道徳観を持った人を畏れる。そして先哲聖人の言葉を畏れる」というわけです。

そういったことで、私自身も天の存在を認め、その結果として自分を律しなくてはいけないという気持ちを持つに到ったのです。

②任天・任運

二つ目は「任天・任運」という考え方です。

論語の中に「死生命あり、富貴天に在り」という言葉があります。「生きるか死ぬか、これはまさに天命である。そしてまた、金持ちになるか貴くなるか、これもまた天の配剤なのだ」といった意味です。

最近は特にこの言葉が染み透ってきて、自分に起きたことは一切合財《いっさいがっさい》、天命だと思い込むようになっています。仕事がうまくいかないとすれば、「これは天命だろう。お前は修養が足らないから、天がいろいろな苦難をわざわざ与えてくれているんだ」と思えるようになりました。逆に、うまくいったときも、「天が助けてくれたんだ。ありがたい」と感謝をするようになりました。

こういうふうなものの見方が身についてきました。だから、失敗したとしてもすぐに頭を切り替えて、くよくよ悩んだりしなくなりました。

③自得

三つ目は先にもふれた「自得」です。

私の敬愛する安岡正篤先生は、自得についてこう言っておられます。

「人間は自得から出発しなければいけない。人間いろんなものを失うが、何が一番失いやすいかといいますと、自己である。根本的本質的に言えば、人間はまず自己を得なければいけない。人間はまず根本的に自己を徹見する。これがあらゆる哲学、宗教、道徳の根本問題である」

また、清の第五代皇帝の雍正《ようせい》皇帝は、自得園という別邸をつくり、そこに自ら墨書した「自得園」という書を貼られたそうです。この話を知ったとき、皇帝となるような方でも自得ということを真剣に考えられたのだなと感銘を受けました。

この雍正帝は中国の歴史上、最も勤勉な皇帝と言われています。国のため、人民のために、寝食を惜しんで働かれた皇帝です。そういう皇帝にして、常に自得の大切さを自らに言い聞かせていたのです。

自得は、中国古典の中で非常に重要視されている考え方です。老子の中には「人を知る者は智、自ずから知る者は明」とあります。これは「人を知る者は知者に過ぎない、自分を知ることが最上の明なのだ」ということですが、確かにそう思います。

自分自身というのは、わかっているようでなかなかわからないものなのです。ゆえに、人類に共通のテーマになるのです。ソクラテスも「汝《なんじ》、自らを知れ」と言っていますし、ゲーテも「人生は自分探しの旅だ」と言っているように、非常に難しいことだと改めて私も思っています。

④天命を悟る

四つ目は「天命を悟る」ということ。

江戸時代の儒学者佐藤一斎は『言志四録』の中で、

「人は須《すべか》らく自ら省察すべし。『天、何の故にか我が身を生み出し、我れをして果して何の用にか供せしむる。我れ既に天物なれば、必ず天役あり。天役共せずんば、天の咎め必ず至らむ。』省察して此に到れば、則ち我が身の苟《いやし》くも生くべからざるを知らむ」(『言志録』第十条)

と言っています。ここで言う天役とは、自分の天職と思える仕事を通じて天に仕えること、社会に貢献すること、すなわち世のため人のために仕事をすることです。仕事を自分自身の金儲けのためや自分の生活の糧を得るためのものだと考えると、人生はつまらないものになります。世のため人のためになることをするからこそ、そこに生きがいが生まれてくるのです。

孔子は「五十にして天命を知る」と言いましたが、これは「天から与えられた自らの使命を知る」ということです。実際、孔子は五十歳にして自分の天命とは世の人を救うことだと自覚して、それまでの修養の時期を終え、実社会での啓蒙活動に入っていくわけです。

「人間は孤にあらずして群である」という言葉があります。この言葉は、人間が社会的動物であることを表しています。つまり、人は一人では生きていけず、周りによって生かされているのです。そういう認識に立つと、自分が社会において果たすべき責務や、個人と社会とのあるべき姿がだんだん見えてくるようになります。そしてついに天命を知り、自分の生き方が変わってくるのです。それがわからなければ、「命を知らざれば、以て君子となるなし」とあるように、決して立派な人物にはなりえないのです。

ひとかどの人物になるためには、どうしても天命を知り、天職を得るような志を立てる必要があります。それによって、最終的に「天を楽しみ、命を知る。故に憂えず」という境地に到るのです。天命を悟り、それを楽しむ心構えができれば、人の心は楽になるという意味です。

私もそういう境地になりたいものだと常々思っていますが、なかなか難しい。ただ、天命というものがあると思うようになってから、余計に心配したり思い悩んだりすることが減ってきたような気がします。悩みが全く消えてしまうところまではいきませんが、ずいぶん少なくなってきたように思うのです。

では、果たしていつごろからそのように感じるようになったかと考えると、ちょうど四十九歳になったときに「自分の天命はこの二つだ」と思うことがありました。一つはインターネットによって顧客中心のサービスを消費者や投資家に安く提供し、社会に貢献するということ。もう一つは、ともに働く者たちの経済的厚生を高めると同時に、事業活動によって得られた自らの資産を使って、恵まれない子どもたちのために社会貢献活動を行うということです。この二つが私の天命だと思ったのです。

その思いは今でも変わりませんから、それにしたがって私は行動しています。

⑤倫理的価値観

五つ目は古典によって私の倫理的価値観が育まれたということです。事業のみならず何をするにしても、判断をし続けなくてはいけません。特に事業をやっていると、毎日毎日が判断の連続です。

そのときにブレない判断をするためには何が必要なのかと考えてみると、それは自分の根底にある倫理的価値観こそが根本になるのではないかと思っているのです。

私は論語の影響もあって、比較的早いときから自らの価値判断の基準として「信・義・仁」という三つの言葉を置くようになりました。以来、この三つを判断の物差しにしています。

「信」というのは言うまでもありませんが、約束を破らないことです。「これをやると人の信頼、社会の信頼を裏切ることにならないだろうか」と常に考えなくてはいけません。

「義」は、正しいことを行うこと。よく自分の行為が社会的問題になると「会社の私は論語の影響もあって、比較的早いときから自らの価値判断の基準として「信・義・仁」という三つの言葉を置くようになりました。以来、この三つを判断の物差しにしています。

ためにやった」と弁解する人がいます。しかし、その人は本当に会社のためにやったのではなく、すべて自分のためにやっているのです。上役によく思われたいと考えてやっているのです。

それは義に反する行為です。事を行うに当たっては、絶えず「これをやることは正しいか正しくないか。法律上は罪がないとしても、自らの良心に照らして正しいか正しくないか」という見方をしなければなりません。

「仁」は、思いやりの精神です。これは「相手の立場になって物事を考えているかどうか。自分の私利私欲が前面に出てはいないか」を確かめるための基準になります。

このような三つの基準に基づいて判断をするということを、常日頃から心がけるようになりました。それによって、自分の主義主張がいつも一貫している、つまり軸がぶれなくなりました。これは人間にとって非常に大切なことだと私は思っています。

古典に親しむ中で、以上あげてきたような五項目を私は自らの生き方の根本に置くようになりました。

私の読書術

心の師・安岡正篤先生

祖先から受け継いできた血と、父によって授けられた古典への関心が基礎となり、私は書物を読む習慣を身につけていきました。数多くの本を読みましたが、特に私の人間形成に最も大きく響いたのが、高校・大学時代を通じて親しんだ安岡正篤先生の一連の著作でした。

今から思えば、高校時代に安岡先生の本を読むというのはずいぶん早熟だったと思います。しかし、幼少期からの父親の教育がベースとなり、難しくはありましたが、意外とすんなり入り込むことができました。精神多感な時期に安岡先生の著作にふれ、そこから学んだものの多さを今でも実感しています。

最初に読んだのは、『経世瑣言《けいせいさげん》』だったと思います。高校生が読むにはいささか骨のある内容でしたが、興味を持っていた分野であったため、難しいなりにも読破できました。それが一つのきっかけとなって、大学に入ってからは、ずいぶんたくさんの本を読みました。

同じ時期、生き方を考える中で中村天風さんの著作からも学ばせていただきましたし、もちろん、「孔子」「孟子」「老子」「小学」「大学」といったたぐいの中国古典はいつも私の傍らにありました。これらの古典も、原文を読んだら次は安岡先生の解説書で読むといったように、何回も何回も繰り返し読んでいきました。

安岡先生のような先達がおられたことは、私にとって幸いなことでした。安岡先生より更に歴史を遡《さかのぼ》ると、難しすぎて内容の読解そのものがなかなか困難ですし、感覚としても理解しがたいところがあります。実際、佐藤一斎の『言志四録』を読んでみても、ちょっと離れすぎているなと感じました。

私が江戸時代に生まれていたら佐藤一斎に私淑していたのかもしれませんが、昭和に生まれた私には、安岡先生の書籍が一番身近に感じられたのです。少し勉強すれば手が届きそうだ、という感じがしました。安岡先生のようなその道の碩学《せきがく》が、文章を解釈するだけではなく、一つの体系の全体像を解説してくれるのが大いに役立ちました。

そういう体験を経てきたため、安岡先生に実際にお目にかかる機会はありませんでしたが、私は今に至るまで心の師として私淑しているのです。

繰り返し読むことの効能

私が本を読むときは、まず気になった箇所にマーカーで線を引いて、ページの端を折っておきます。そして次に読むときは、付箋《ふせん》に気になる単語やキーワードを書き抜いて、それを貼り付けておくのです。

そうしておいて、たとえば「自得」という言葉について考えようというときには、貼ってある付箋から「自得」と書かれている箇所を探していきます。そうすると、いろいろな本から「自得」と書かれた付箋が見つかりますので、その部分にずっと目を通していき、改めて自分なりに「自得」という意味について考えていきます。

あるいは、自然と人間とのかかわりについて考えようと思えば、同様に「自然」と書いてある付箋を探していきます。このようにすると、東洋哲学の中では自然をどういうふうに考えていたかというようなことが、一つのまとまった体系として理解できるのです。

今でも、あるテーマについて文章を書くというときは、この方法でいろいろな本に書かれている内容を一通り読んで全体像を把握してから、自分なりの考えをまとめあげていくようにしています。

また、先にも述べましたが、本を読みながらマーカーで線を引いていると、前回と今回で線を引いている箇所が違うケースが出てきます。その違いを明らかにするために、私は読むたびに線を引くマーカーの色を変えています。最初に青いマーカーを使ったら、二度目はピンクのマーカーを使う、三度目は黄色のマーカーを使うという具合です。

そうすると、一つのページに青、赤、黄のマーカーで線が引かれた箇所も出てきます。繰り返し繰り返し読んでいると、すっかり内容を暗記してしまって、その箇所にきたら、読まなくても書かれている内容と自分の思考過程を思い出せるようになります。

いい本は何回も読まなければいけない、というのが私の持論です。一回読んでわかったつもりでいても、実はわかっていないことがよくあるからです。安岡先生の本などは非常に深いから、何回も読まないと、その真意はとても理解できません。

今日まで私は本当にたくさんの本を読んできました。特に安岡先生の本は何度も何度も読み返し、何度も何度も線を引っ張ってきました。それがために、ここまで自分を磨き続けてこれたと思っています。そういう私淑する人がいなければ、今の自分はなかったと確信しています。

人間学で道に達しようと思うのなら、安岡先生の傍らについて教えてもらうのが一番近道だったかもしれません。それは残念ながら叶わないことでしたが、書物は時空を超えて先哲の教えに学ぶことを可能にしてくれるのです。読書によって古典にふれ、先人の考え方、行動の仕方を吸収し、それを自分自身の生き方に反映させることもできるのです。

今の若い人にとって、古典を読むのはなかなか難しいことだと思います。でも、もし自分を磨くために読んでみようと思うのなら、ぜひ手にとってもらいたいものです。最初は論語の素読あたりからはじめてみるといいでしょう。何度も何度も、意味がわからなくてもかまわずに読み続けてみてください。それを続けるうちに、やがて、自分の中に確固とした考え方が育まれていることに気づくと思います。

そのようにして古典によって育まれた考え方は、困難にぶつかり、人間いかに生きるべきか、いかに働くべきかと考えるときに、必ず大きな力となってくれるはずです。

第三章

あえて艱難辛苦の道を行く

私が金融の世界を目指した理由

医学部志望から経済学部へ

松下幸之助さんは、「人間には二つの生命力がある」と言っておられます。一つは「生きようとする力」で、これは生物として当然持っているもの。そして、もう一つは「使命を示す力」。これは人間ならではのもので、自分に与えられた使命、あるいは天分、天役、天命といったものを示す力が与えられているというのです。

さらに、「人間としての成功とは自分の使命をまっとうすることにあって、富や地位を得るといった世俗的な成功は本当の成功とは言わない。自らの使命に沿った生き方をして初めて本当の生きがいや幸せを得ることができるのだ」と松下さんはおっしやっています。この考え方こそ、松下さんの大きな仕事観だったのではないかと私は思っています。

では、どうやって天分を見出せばいいのか。そのためには天命を発見しようとする熱意と意志を持たないといけない、と松下さんはおっしゃいます。そして、天は必ず何かの形で啓示を与えてくれるから、それに備えて日々努力していくことだと言われました。そのためには先にも述べた「素直であること」が非常に大事になってくるわけです。素直に受け入れて打ち込んでいるうちに、だんだんと仕事の魅力が見えてくるというのです。

自分自身の人生を振り返ってみると、確かに私も今までに何回となく天の啓示を受けてきました。

たとえば高校時代、私は理科系のコースに入って医学部を目指していました。当時、渡辺格《いたる》という分子生物学の権威が慶応の医学部におられました。その渡辺先生のもとで、生命や遺伝子の研究をしたいと思っていたのです。

ところが、前年に起きた東大安田講堂事件のあおりを受けて、東大は入学試験が中止になっていました。そのため、慶応医学部はものすごい高倍率になってしまい、私はものの見事に医学部の試験に落ちてしまったのです。それで結局、「滑り止めにどこか受けておきなさい」との母親の言葉に従って受けて合格していた慶応の経済学部にとりあえず入ることにしました。

私は当初から医学部に落ちたら経済学部に入って、翌年もう一度受験をし直すつもりでした。両親にもそのように宣言していました。しかし、父は私が医者の世界に進むことを是としていなかったのです。なぜかと言うと、一つは私の家が代々船場の商家であったということ、またもう一つは医者の仕事は人のためになるものではあるけれど世界が狭いという理由でした。

「もっと広く大きなビジネスの世界に入ったほうがきっとおもしろいぞ」

父は医学部を志望する私に常々そう言っていたのです。

私が合格発表を東京まで見に行って帰ってきたとき、父は新幹線の駅まで迎えに来てくれていました。そのとき言った父の第一声を、私は今でもはっきりと覚えています。それはこんな言葉でした。

「人の命は棺蓋うて後に定む。人の真価というのは、棺に入ってはじめて問われるべきもので、今試験に落ちてそんながっかりするものではないよ。すべて天命と思って、それを受け入れなさい」

この父の言葉と、それ以前から考えていた天命という言葉が結びつきました。そして、医学部に落ちたのも天命なのだと思い、経済学部で勉強していく決心をしたのです。

まあ安易と言えば安易かもしれないのですが、経済の勉強を始めてみると、これはなかなかおもしろい学問だと思うようになりました。そしていつの間にか就職の時期を迎えて、私は金融の世界に進もうと考えたのです。

人生意気に感じる

最初、私は三菱銀行（現三菱東京ＵＦＪ）へ行くつもりでした。成績は割とよく、そして成績のいい学生は当時みんな銀行に行くというのが慶応の伝統だったのです。ただ、結局、私はご縁があって野村證券に入ることになりました。そのとき、私の選択に賛同してくれた人はたった二人しかいませんでした。一人は父です。「野村證券は戦後最も伸びてきた金融機関だが、これから三十年、お前が働く間にも最も伸びると思うよ」と言ってくれました。そして、もう一人はゼミの気賀先生です。「野村證券は非常におもしろいと思います。銀行はエリートばかり集まって、つまらん競争が多くて大変だよ」と先生はおっしゃいました。

この二人だけが私の野村證券入りに賛成してくれて、あとはみんな、なぜ三菱銀行を選ばなかったのかと残念がる声ばかりでした。

では、なぜ私は三菱銀行ではなく野村證券を選んだのか——。ここにも私の生き方がかかわっていたのです。

当時、金融業界の花形といえば、なんと言っても銀行でした。証券会社はといえば、実力的にも世間的な評価の点でも、かなり下のランクに位置していました。にもかかわらず、私が野村證券を選んだのは、私を勧誘してくれた人事担当者の熱意に動かされたからです。まさに人生意気に感じるという考え方が、私の生き方の根底にはあるのです。

その熱意とはこういうことです。まず、私の父親のところに「御子息を是非野村に入社させて下さい」と来られ、また兄のところにも慶応大学時代の同期で野村に入っている先輩がやってきて、「弟さんを是非うちに来させてください」と頼み込みました。それからというもの、何度も何度も「北尾君、ちょっと飯食いに行こう」と言って私を誘いに来てくれました。飯につられたというわけではないけれど、その熱心さには惹かれるものがありました。

さらに最も意気に感じたのは、最後の最後に就職先を決めるというときです。私は熟慮の末、最終的に三菱銀行に行こうと決めていました。そして明日が最終試験という日、野村の人事部の課長代理がウイスキー二本を持ってふらっと下宿を訪ねてきたのです。そこで言うには、「北尾君、今日は野村に入れと説得するつもりで来たのではないんだ。たまたまご縁があって君と知り合ったから、これからもその縁を大事にしたいと思って来たんだ。下宿の他の部屋にいる学生も呼んで、一緒に酒でも飲もうや」と。

それで一緒に酒を飲んだのですが、確かにそのとき、課長代理はひと言も野村の話はしませんでした。

その帰って行く後ろ姿を見送りながら、「そこまで私のことを思ってくれているのか」と感じ入りました。私はその姿を見て、「士は己を知るもののために死しても可なり」という史記にある言葉を思い出したのです。そして、「人生意気に感じるという言葉もあるし、ここは一つ野村證券に行こう」と決断し、翌日、三菱銀行に出向いて断りを入れ、その足で野村證券に行き、入社の決断を伝えたのです。

熱心に誘ってくれた野村の熱意に応えるべく、私は土曜も日曜も祭日もなく一所懸命に働きました。いつの日か世界的なインベストバンカーとなって野村證券を背負って立つのだと思いながら、必死で仕事に打ち込みました。

ところが、これも天命なのでしょうか。野村證券に大不祥事が起こり、私が敬愛してやまない田淵義久社長は退陣を要求され、会社を去ることになりました。私自身も、自らの進むべき道を改めて考えるべきときに差しかかっているように感じました。

そんなとき、声をかけてくれたのが孫正義さんだったのです。孫さんとは、ソフトバンクの株式公開後に担当部長として知り合うことになったのです。

「北尾さん、一分だけ時間をくれませんか。北尾さんがうちに来てくれれば、ソフトバンクは飛躍できるんです」

孫さんはそう言いました。それに対して私は

「十日間だけ時間をください」

と答え、その十日間でソフトバンクという会社やマルチメディアについて猛勉強をしました。その結果、孫さんという人は類稀《たぐいまれ》なる経営者としての資質を持っている、この業界は必ず伸びるという確信を抱くに至りました。

そういう思いを抱いて、野村證券を辞めてソフトバンクに入る決断をしたのです。そして去年、今度はソフトバンクとの資本関係を清算し、ＳＢＩホールディングスとして、完全に独立したのです。

このように自分の遍歴をたどってみると、そのときどき、目の前にある仕事に一所

懸命取り組んできたように思います。一方で、節目節目には必ず何かの啓示があり、それに導かれて歩んできたようにも思えます。そこに私は、天命というものを感じないわけにはいかないのです。

難しいからチャレンジする価値がある

変わり者の新入社員

当時の野村證券において、私は非常に変わった新入社員だったと思います。たとえば入社試験の最終面接で、当時の伊藤副社長が「君たちはうちに入って何がしたいのか」と聞かれました。一緒に面接を受けていた学生たちが「何々部で働きたい」「営業をやりたい」と答える中、私はこう答えました。

「私は就職を決める前に先輩諸氏から仕事についての説明を受けましたし、会社のいろんなお話もうかがいました。けれど、実際に働いてみるまでは、どこで何をやりたいとかという希望はありません。ただ、どこで働いても世界経済の中の日本経済、日本経済の中の金融機関、金融機関の中の野村證券というように、いつも三つの側面で考えていきたい。そして、その中で与えられた場所で粉骨砕身頑張ります」

ある意味、非常に大人びた答えをしたと思いますが、それができたのも、数多くの古典を読んできたからだと思います。それは伊藤副社長にも伝わったようで、このときの面接が終わったあと、人事担当の課長さんに呼ばれて、こう言われました。

「君の答えを副社長がえらく褒めていて、『あいつはお前らには任せん、俺が直接教育する』と言ってたぞ」

こんな感じで、私は最初から自分のスタイルを貫いて野村證券に入ったのです。それが認められて入社したため、普通の新入社員がやるような個人営業は一度もやったことがありません。

私が最初に配属されたのは総合企画室という部署でした。そこに一年九か月いたあとでケンブリッジ大学経済学部に留学し、卒業して帰国すると、海外投資顧問室に配属されました。そのあとはニューヨークに勤務して、五年後に帰国して事業法人部に入りました。その二年後、今度はロンドンに赴任してM&Aの専門会社であるワッサースタイン・ペレラ社に常務取締役で入るといった具合でした。

野村の中でも異色の経歴だったのです。ある種の帝王学によって、育ててもらったような気がします。

艱難汝を玉にす

ケンブリッジから帰ってきて海外投資顧問室に入った私は、そこでの仕事ぶりを評価され、株式担当の専務であった井阪さん（のちに東証副理事長を経て平和不動産社長）に「北尾君、よくやってくれた。次はどこでも君の好きなところに行かせてやるよ」と言われました。

普通、好きに選んでいいと言われると花形部署を選ぶものですが、私は基本的にそういう考え方はしません。むしろ花形と言われる場所をあえて避けて歩いていくようなところがあります。

そういう考え方が根本にあるため、どこでも好きな場所を選んでいいと言われたとき、私は当時最も業績が悪かったニューヨークを選びました。数ある野村の支店、子会社の中で、ニューヨークは毎月赤字になるか黒字になるかの瀬戸際に位置するたった一つの場所だったのです。

当時の海外支店で一番収益が上がっていた花形といえばロンドンでした。ところが、ニューヨークは赤字か黒字かのぎりぎりのライン。私は考えました。ロンドンへ行ったとして、そこで収益を上げても当たり前だ。それよりも、業績不振のニューヨークへ行って業績を上げれば、それは私の力だと思ってもらえるじゃないか。そう考えて、ニューヨークに行こうと決心したのです。

さらに言えば、ニューヨークはなんといっても世界の金融の中心です。金融技術も一番発達しています。そこで自分を鍛えるのが一番実力がつくのではないかと思いました。「艱難《かんなん》汝《なんじ》を玉《たま》にす」という言葉もあります。商売にならないところで苦労して成果が上がれば、力を認めてもらえるのはもちろんのこと、自分自身が成長できるのではないかと考えたのです。

ニューヨークで私の商売相手となったアメリカのポートフォリオ・マネージャーやアナリストたちは、世界の機関投資家の中で最もうるさい連中です。そもそもアメリカには国内に投資対象が山ほどあります。だから彼らは、わざわざ為替リスクを背負って日本の株など買わなくていいと考えていました。

そういう状況の中で、アメリカ人を説得して日本株を買わせることができたら、それは私の説得力が磨かれた証拠となり、セールスマンとしての技量も磨かれるだろうと思い、一所懸命売り込みに励みました。

私は、「若いときの苦労は買ってでもしろ」という教えに従ったのです。自分から選んで成果の上がらない支店に行って、そこで成果を上げられなければ馬鹿にされるだけです。そうなれば、野村での私の人生は終わりになるかもしれません。だから、この選択は大きなチャレンジでした。でも、そこでチャレンジすることが大事だと私は思ったのです。

結果的に、私はニューヨークで、野村證券の一日の商いの記録を打ち立てました。一日の商い八百億円という、いまだに破られていない売り上げを達成したのです。

ニューヨーク勤務を終えた私は事業法人部に配属されることになりました。しかし、帰ってきてからも、私は誰もが嫌がる仕事をあえて選択して歩いてきました。すると、またそれが評価されることになりました。

楽なほうへ行きたいという思考は私にはないのです。私の考え方はそれと全く反対です。艱難辛苦があるからこそチャレンジする甲斐がある。そして、それをやり遂げることによって人間的に成長し、より器が大きくなれると考えています。

だから私は、数字の目標を立てるときも、普通の人より圧倒的に高い目標を設定します。それを達成したら、次はそれよりはるかに大きな目標を設けるのです。そういうチャレンジを繰り返しながら、より大きなビジネスに挑戦していったのです。

それによって、自分に自信がついてきたように思います。そういう厳しい体験を積んできたからこそ、今日の自分があると言ってもいいと思っています。

夢はできるだけ大きく持つ

自信がないより自信過剰のほうがいい

私は一九九九年四月に、孫正義さんから資本金を出してもらってソフトバンク・ファイナンスという会社をつくりました。全く何もないところから立ち上げて、この七、八年の間に現在の規模までつくり上げてきました。それができたのは、前述のような数々の艱難辛苦を乗り越える経験があったからだと思います。

自信というものは物事を達成することによってつくられ、そして達成すればするほど、より大きなものとなっていきます。ときどき「自信過剰だ」と言われることもありますが、自信がないよりも自信過剰のほうがはるかにいいと私は思っています。だから社員にも、「大きな自信を持つというのは、過ぎたるは及ばざるが如しの世界ではないんだ」といつも言っています。

ただし、これには前提条件があります。「何も実績のないのに自信を持っても駄目だよ。ちゃんと実績を上げていって、そこで自信を持ちなさい」ということなのです。

難しい目標を達成するために大切なのは、一つの目的を達成したときに満足感を得て「よかった、よかった」で終わりにしないことです。

たとえば、会社の株式公開のお手伝いをする場合、普通であれば一社につき十年ぐらいの時間をかけて公開します。そうすると、長い時間がかかっていることもあり、一社を上場させただけで達成感を感じてしまい、そこで燃え尽きてしまう人もたくさんいます。しかし、それではいけないのです。

私はここ七、八年の間に十社程を株式公開させましたが、まだまだ夢は膨らむばかりです。それは別にお金儲けができるからではありません。世のため人のためという大志があるから、何社上場させても「さて次は」と夢を抱き続けられるのです。

目標を達成したからといって、そこで止まってしまっては駄目なのです。違う言葉を使うならば、自分の能力を自分で限定するな、ということです。そのためにも「自分の夢はできるだけ大きく持ちなさい」と、私はいつも言っているのです。

真剣勝負の中で人間は成長し磨かれる

自分の仕事人生を振り返ると、至る所、ピンチの連続でした。ソフトバンクに入社しても、毎日が戦々恐々として、まさに薄氷を踏むが如しでした。

何しろ孫さんが次々と途方もない買い物をしていくのです。それをできるだけ叶えさせてあげたいと思うけれど、資金のほうはいつも逼迫《ひっぱく》している状態。どうやって資金を調達するか。一歩間違えれば会社がおじゃんになってしまうという厳しさが常にありました。

孫さんは、止まるを知らない人です。私が野村證券を辞めてソフトバンクに行くとき、日頃から尊敬し、また可愛がっていただいていたイトーヨーカ堂の伊藤雅俊さん

（現名誉会長）に報告に行きました。最初に私が野村を辞めることを話すと、伊藤さんは「北尾君、そんなんしたらダメだよ。野村から人がいなくなるよ」と言ってくださいました。それから「ところで北尾君、次に何をするの？」と聞いてこられました。私は「ご存じないかもしれませんけれど、ソフトバンクっていう店頭公開したばかりの小さな会社に行こうと思うんです」と答えました。

するとと、伊藤さんはおっしゃいました。

「あ、孫さんのところ？　よく知っているよ。孫さんは天才だよ。だけど重大な欠陥がある」

「欠陥というのはなんですか？」

「彼は事業欲が強すぎるんだよ」

そのときは、孫さんの事業欲が強すぎるという意味がピンときませんでした。もちろん文字としての意味はわかりますが、それは実際にどういうことなのかがわからなかったのです。

私がその意味を知るのはソフトバンクに移って三か月ぐらいたったころです。役員会に出席して孫さんと話をしてみて、なるほど伊藤さんの言わんとしていたのはこういうことだったのかとはっきり理解しました。

しかし、伊藤さんは孫さんの事業欲が強すぎるから行っては駄目だとは言いませんでした。それどころか「北尾君、孫君のところならいいと思うよ。彼を止められるのは君ぐらいかもね」とおっしゃったのです。

実際、孫さんを一番止めてきたのは私だったと思います。

私は孫さんに十年余り仕えましたが、孫さんが途方もない野望を口にするたびに、「駄目だ。それをやったら会社は潰れるよ」と進言しなくてはなりませんでした。ある意味、それは諫言《かんげん》でしたが、孫さんには私の諫言を受け入れる度量がありました。

あるとき孫さんが私にしみじみと言ったことがあります。

「北やんはいつも役員会で俺の意見に徹底的に反対する。皆の前で俺を罵倒することもある。正直に言うと、そのときは不快に思うこともある。だけど、あとから振り返ってみると、北やんの言う通りになっていることがほとんどだ」

カッカしながらも、孫さんは私の意見に耳を傾けてくれました。だから、会社を潰すには至らなかったのです。とはいえ、一度として楽に進んだことはありませんでしたが。

今の時代、大企業であっても企業経営は容易ではありません。それでも大企業には優秀な人材もおり、また組織も固まっているので、数年間をトップが大過なく経営していくことは比較的やりやすいのです。ところが、ベンチャー企業は組織的に脆弱《ぜいじゃく》ですから、常にいろいろな問題を抱えています。それを解決しながら挑戦を繰り返し、勝ち抜いていくというのは大変な試練です。

私は孫さんから資金を出してもらってソフトバンク・ファイナンスグループを立ち上げましたが、それ以降、たった一度も資金の追加を頼みに行ったことはありません。そうした条件下で事業を拡大していくというのは、すべてにおいて大変です。一日一日が真剣勝負です。

大変なのは資金面だけではありません。人の教育をどうするかというのも大きな問題です。会社は人がすべてと言っても過言ではありません。だから人材育成には常に力を注いでいるのですが、期待して大切に育てていた人間が「辞めて独立したい」と言ってくることもあります。そういうときも、「そうか、お前なら大丈夫だよ」とニコニコと笑って送り出してやらなくてはいけない。これは本当に辛いものです。

そういう問題をいつも山ほど抱えながら経営をしていますが、それが嫌だと思ったことは一度もありません。なぜならば、それが自分の成長につながるものだと確信しているからです。すべての試練が自分の人間的成長を促《うな》がしてくれていると思えば、それを拒む理由などどこにもありません。

人間は仕事を通じて自分自身を磨き、高めていくことができるのです。何があっても動じずに自らの意志を貫き通せるような胆識ができあがるまで、自分を磨いて、成長し続けなくてはいけません。安岡先生の言う「風韻《ふういん》」を発するような格調の高い人間になるまで、やり続けなくてはなりません。

そのためには、片方では書物を何度も何度も読み返しながら人間学を勉強し、もう人間は仕事を通じて自分自身を磨き、高めていくことができるのです。何があっても動じずに自らの意志を貫き通せるような胆識ができあがるまで、自分を磨いて、成長し続けなくてはいけません。安岡先生の言う「風韻」を発するような格調の高い人間になるまで、やり続けなくてはなりません。

一方では実社会の中で問題に突き当たって自分自身を鍛えていくしかないのだと思います。

絶えざる挑戦が社会を動かす

常に挑戦していく姿勢を忘れてはいけない

今までさまざまな金融の仕事をやってきましたが、金融業もまた革新が求められる時期に来ています。

たとえば、インターネットという非常に便利かつ爆発的な価格破壊力のあるツールを通じて、株式売買の委託手数料を大幅に安くするというのも大きな革新です。現在、私たちのグループ会社の一つであるＳＢＩイー・トレード証券の手数料は、野村證券の十三分の一から十四分の一になっています。手数料が安くなるということには、証券会社に落ちていた金が投資家に還元されるという大きな意味があります。

また、インターネットは、あらゆるものを比較して選ぶという行動を可能にしました。たとえば家を建てるというとき、かつては昔から付き合いのある銀行に住宅ローンのお願いに行っていました。ところが今は、インターネットでいろいろな銀行の住宅ローンを一覧表で見比べ、どこの金利が一番安いのか、どこの条件が一番いいのかを調べて選ぶ時代に入っています。

そうした部分でも、私たちは革新的なサービスを提供して、より価値の高い金融サービスを消費者にもたらしています。

このように、現在、金融の世界でインターネットを通じて私たちが行っている事業は、投資家主権あるいは消費者主権の確立を目指しているものなのです。これは既成秩序に対する大きな挑戦といっていいものです。

孫さんのソフトバンクが今必死になって取り組んでいるのは、既存の通信サービスの革新です。「こんな高い通信費用がかかるのはおかしい」という素朴な疑問から始まって、それを安くする方策を考え、よりよいサービスを利用者に提供していくという挑戦を続けています。これもNTTグループという我が国最大規模の通信グループに対する大いなる挑戦なのです。

私たちは常に、こういう挑戦を続けています。それはいろいろな意味で大変なことですが、この「革命」とも呼べる挑戦に勝ち抜けば、歴史的な革命と同様に権力の移譲がなされていくはずです。それによって、消費者に大きな利益をもたらす社会的変化が起こる可能性があります。

先にも述べましたが、こういう革命を起こすことが自分の使命感になり、これを達成することが自らの天命であると、私は四十九歳のときに悟りました。しかし、その一方では、

「革命に成功して天下を取り、それによって儲けたとして、果たしてそれだけでいいのだろうか」

という疑問が浮かんできました。

「いや、それだけではいけない。世のため人のために、この成果を還元しないといけないだろう」

と即座に思いました。

それが私のもう一つの天命となり、ＳＢＩ子ども希望財団やＳＢＩユニバーシティの創設につながっていったのです。

陰と陽を相対させることでバランスがとれる

おそらく数年で、証券の世界も「勝者がすべてを取る」（Winner takes all.）というネットの世界の経済原理にのっとって動いていくでしょう。ネット証券と昔ながらのリアルの証券会社との差もどんどん縮まってくると思います。縮まるというのは、ネットが追い上げてリアルのシェアが取られていくという意味です。

現にＳＢＩイー・トレード証券は、売買代金のシェアで野村證券を上回っていますが、それは非常に短期間で実現しました。

こうした発現あるいは発展は易経の言葉で言えば「陽の原理」です。そうすると片方では、必ず「陰の原理」が働いてきます。陰と陽のバランスがとれたところで統一調和が行われ、そこに永続性や安定性がもたらされるのです。世の中の事象はすべてからく陽と陰とが相俟《あいま》つことが必要です。

そういう意味では、今後はリアルとネットが融合するという方向性が出てくると思います。ですから私たちも、ネットだけでよしとするのではなく、リアルの部分にも進出して、より消費者や投資家にとって好ましい世界をつくる方向に動くことになると思います。

たとえば、野村證券はジョインベスト証券というネット証券会社を自らつくりました。昔では考えられなかったことです。一方、我々は我々でリアルな証券会社を買収してSBI証券として傘下に持ち、ネットとリアルの相互を業務的に近づけていこうとしています。

私たちがリアルの証券会社を持つことには明確な理由があります。現在、ネット証券会社のお客さんは二十代と三十代が五割以上を占めています。ところが、リアルの証券会社のお客さんは五十代以上がほとんどで、六十代や七十代の方も多数おられます。この方たちはパソコンを使えないとか、使うのが面倒くさいと考えている方たちです。したがって、ネットの証券会社だけでは十分なサービスを提供できません。顧客中心主義を貫くためには、リアルの証券会社も持つ必要があるという結論になるのです。

また、単純に株を売り買いするならネットだけで十分ですが、リスクの高い商品を売買する場合は、やはり一対一での対面で説明し、納得して売り買いしてもらう必要があります。そういう点で、リアルにはリアルのよさというものがあるわけです。

そういうことを考えると、ネットとリアルを融合させ、さらには統一させていかなくてはならない、という考えが自然に生まれてきます。

こうした陰陽相対原理というのは、すべての事象に当てはまるものです。ともすれば人は日の当たる部分を選びがちですが、本当に調和して発展していくためには、陽だけでなく陰も必要なのだと思います。私があえて艱難辛苦を選ぶというのも、そうした考え方が根底にあるからなのです。

摩擦や軋轢を恐れてはいけない

私は常にチャレンジすることを貫いてきました。いつも懐に辞表を入れて歩いているというくらいの覚悟を持ってやってきました。金融の世界は非常に激しい社会ですから、上司にもはっきりものを言いました。ただし、何を言うにしても、一度として会社のためを思わなかったことはありません。

ただ、この「会社のために」という場合に気をつけなければいけないのは、会社の常識と世間の大義が必ずしもイコールにならないケースがあることです。そういう場合、やはり「社会的正義とは何か」と、きちっと自らに問わなくてはいけません。

そのうえで、一時的には会社の損になるとしても、長期的に見ればいいことだと判断した意見は堂々と言えばいいのです。自分の主義主張や立場を明確にして、きちんとした意見を持つことは、人間の生き方としても非常に大事な態度だと思います。

ところが、世の中は往々にして事なかれ主義、日和見《ひよりみ》主義に傾きやすいものです。これは、摩擦や軋轢《あつれき》をできるだけ少なくするのが大人の世界だという考え方によるものです。

私は必ずしもそうは思いません。むしろ、たとえ部下であっても、堂々と諫言する者は歓迎しますし、私自身もそうやってきました。そういう意見のぶつかり合いがなければ、本当の意味での社会の進歩はないと思うのです。

才能に恵まれ、それなりの教育を受け、経験も積んで指導的な立場に立とうという人は、決して事なかれ主義に陥ってはいけません。世のエリートとして言うべきことを言うのは、自分がこの世に生まれた一つの責務だと考えるべきです。自分の発言によって、社会をよりよい方向に導いていこうとする意欲がなくてはいけません。


そう考えた結果として、私の周りには常に摩擦や軋轢がありました。私の足を引っ張りたいと思う同期、あるいは一年二年上の先輩はたくさんいました。生意気な男――これが私に張られたレッテルでした。

私自身は礼を尽くしているつもりなのですが、「それはちょっとおかしいんじゃないですか。こういう考え方のほうがいいんじゃないですか」と、はっきりものを言うところが生意気だと受け止められたようです。こちらは建設的な提言をしているつもりなのですが、それを自分への批判だとか反抗だと受け取ってしまう。そういう度量の小さい人が世の中には多いのです。

それを前提としてなお自分を貫こうとすれば、どうしても摩擦や軋轢は多くなります。しかし、摩擦や軋轢があっても、それに勝ち抜く覚悟を持たなくてはいけません。摩擦が起こるのを恐れてはいけないのです。こういうときこそ、「自ら省みて縮《なお》くんば、千万人といえども吾れ往かん」という精神がなくてはいけないと思います。

実際、私は二回辞表を出したことがあります。一度はニューヨークに行っていたときです。拠点のヘッドだった常務と一介の課長だった私が大喧嘩をして、「こんな会社では働けない。もう辞める」と言って辞表を提出したのです。そうしたら、日本から「すぐに帰ってこい」と帰国命令が出ました。声をかけてくださったのは、社長だった田淵義久さんです。なぜ私が辞表を出そうとしたのか、田淵さんはよく理解してくださっていたのです。

そういう理解者もいるのですが、どちらかといえば、部下の意見を受け入れたがらない上司のほうが多いようです。そこで部下が自分の意志を通そうと思えばギクシャクせざるを得ません。

繰り返しますが、それに負けないことです。もちろん、意見を述べる前には、それが単に会社のためだけでなく、社会のために役立つ建設的な意見なのかどうかを自らに問いただすことが欠かせません。そのうえで「自ら省みて縮《なお》くんば」貫き通すべきだと私は思います。それが、仕事において自らを磨き、成長させることにもつながっていくと考えるからです。

仕事を成功に導く心の持ち方

事業の基は徳にある

『菜根譚』にこうあります。

「徳は事業の基《もとい》なり。未だ基固からずして棟宇《とうう》の堅久《けんきゅう》なる者有らず。」

ここにあるように事業を発展させる基礎は徳です。この基礎が不安定であって建物が堅固であるということはあり得ません。

「徳ある者は必ず言あり。言ある者必ずしも徳あらず」

「仁者は必ず勇あり、勇者必ずしも仁あらず」

これは論語の中にある言葉です。徳がある者はきちんと発言すべきだと思うのです。

そうでなければ、会社も社会も良くはなりません。今の世の中は悪い、今の会社は悪いと思うのなら、勇気を持って発言すべきです。それが徳あるものの責務だ、と私は思っています。

私自身、自分に徳があるところまでは行っていないと思いますが、それでも正しいと考えたことははっきり口に出します。自分の主義主張、立場を明確にすることを常に心がけてきました。

たとえば、ライブドアがニッポン放送を買収しようとしていたとき、私は表に出るか出ないかで迷っていました。そのときふと思い浮かんだのが、この「徳有る者は必ず言あり」という言葉でした。そして私は自分の良心に尋ね、世のため人のために行動するのだと確認して出て行ったのです。

これは孟子で言えば「自ら省みて縮《なお》くんば、千万人といえども吾れ往かん」ということになるでしょうし、稲盛和夫さん流に言えば「動機善なりや、私心なかりしか」という話になるでしょう。「世のため人のため」という志を胸に抱いて企業経営をしている以上、やらないわけにはいかない、と思うからやれるのです。

「徳有る者は必ず言あり」は「言有る者必ずしも徳有らず」と続きますから、なんでも主張すればいいわけではありません。しかし、そこまで含めて自らに訊いて、それでも言をなさなければならないと思ったとき、私は躊躇《ちゅうちょ》なく一歩を踏み出すようにしています。

利益は正しい行いの結果でなくてはならない

企業は正しいことを行わなければいけないのです。ピーター・ドラッカーは「経営とは人を通じて正しいことを行うことだ」と言い、論語には「利を見ては義を思う」「君子は義に喩《さと》り、小人は利に喩る」とあります。

利益というものは大事だけれど、それは正しいことを行った結果として出るものでなければならないのです。同じく論語に「不義にして富み且《か》つ貴《たっと》きは、我に於《おい》て浮雲の如し」とあるように、正しくないことをやって富んだり偉くなったりしても、それは浮雲のようなもので全く取るに足らないものなのです。

孔子は利益を否定しているわけではありません。ただし、「君子財を愛す、これを取るに道あり」で、正しい道にのっとった結果として得られる利益でなくてはいけないというのが孔子の考え方なのです。

私が非常に尊敬している渋沢栄一翁は、まさに日本の資本主義の勃興《ぼっこう》期にあって、五百余の会社をつくりました。渋沢翁にルーツを持つ会社の多くが、今もなお日本の大会社として残っています。

もし渋沢翁が三井や三菱や住友のような財閥を築き上げることを望んでいれば、それも可能だったでしょう。ところが翁は、それを望みませんでした。それどころか道徳経済合一説というものを唱えて、「営利の追求も資本の蓄積も道義に合致して仁愛の情に悖《もと》らぬものでなければならない」と鼓舞して回るとともに、六百余もの教育福祉団体にさまざまな形で寄与したのです。

正しいことをやらなければ物事は決して成功しないということを、稲盛和夫さんは人生の方程式に表しました。

「考え方×能力×熱意＝人生・仕事の結果」

これは素晴らしい方程式だと思います。考え方がプラスかマイナスか、つまり正しいか間違っているか。もし考え方が間違っていたら、能力や熱意が大きいほどマイナスが大きくなってしまう。したがって、考え方の間違っている人は決して成功しませんよ、と稲盛さんはおっしゃっているのです。

堀江さんはこの部分で間違っていたのではないでしょうか。能力も熱意もある方だと思いますが、考え方が正しくなかったから、一時は八千億もの時価総額があったのにあっという間に一千億を割るような大変な状況をつくってしまったのです。

これは企業人なら誰でも他山の石とするべきことでしょう。仕事において成功を得るためには、考え方が正しいか正しくないか、それを自らに問うことが何よりも大事なのです。

正しいことをやらなければ物事は決して成功しないということを、稲盛和夫さんは人生の方程式に表しました。

「考え方×能力×熱意＝人生・仕事の結果」

これは素晴らしい方程式だと思います。

第四章 誰でも仕事の達人になれる

仕事ができる人の考え方を学ぶ

仕事に悩んだときの三つの対処法

楽しんで仕事をするというのは、自分を成長させるために非常に重要な要素だと思います。私自身はまだ楽しむという境地にまではたどり着いていませんが、仕事を好むというところまでは来ているように思います。

しかし実際は、仕事を楽しむどころか、好むところまで行くのもなかなか簡単ではないようです。それを実証するかのように、私のもとには「今の仕事に打ち込めない」という悩める若者たちが、しばしば「北尾さん、相談があります」とやってきます。

彼らの話を聞いて、私はいつもこう言っています。

「あなた、寝食を忘れるぐらい仕事に打ち込んでる？　もしそれでもなおかつ今の仕事が嫌だったら、方法は三つしかないよ」

そして、次の三つの方法を教えます。

一つ目は、その仕事を辞めて、自分が打ち込めると思う仕事を新たに探すこと。「あなたが本当にそう決断するなら私は止めないよ」と言っています。

二つ目は、道楽の世界を持つこと。趣味の世界でもなんでもかまわないから、仕事とは違うことをやってみる。

趣味に打ち込んでいると、そこでいろいろな人とご縁ができます。たとえば、何かを蒐集《しゅうしゅう》する趣味を持つとすると、そこに必ず同好の士が集まる世界が存在します。そういう世界にふれることによって、良き縁が次から次へと結びついて、想像もしなかった展開になる場合があります。そこから新しい世界が開けてくるケースもあります。それが今の仕事に結びつくのか、あるいは全く別の人生につながっていくのかは別にして、目先の悩みが消えてしまうこともあるのです。

三つ目は、考え方を変えてみること。これについては、私はよく元首相の吉田茂さ

「あなた、寝食を忘れるぐらい仕事に打ち込んでる？　もしそれでもなおかつ今の仕事が嫌だったら、方法は三つしかないよ」

んの逸話を例に出して話しています。

それは吉田茂さんが青雲の志を抱いて外交官になったばかりのころの話です。吉田さんが最初に命じられた仕事はテレックスの伝達係だったそうです。テレックスが届いたら、それを大臣のところに持って行くわけです。それが吉田さんには不満だったのです。

「最高学府を出て高文試験に通って外務省に入ったのに、なんでこんなつまらない仕事をやらなければいけないんだ」

そして、義父にあたる牧野伸顕《のぶあき》公に手紙を書いて、その思いを切々と綴《つづ》りました。すると牧野公から返事が戻ってきました。吉田さんがその手紙を読むと、こんなことが書いてありました。

「君はなんと馬鹿なことを言っているんだ。大臣よりも先に国家の重要な情報を見ることができるのだよ。それを見て、君はどう判断するのか、大臣はどう判断しているのか、その判断の結果はどうなっているのか。君はまたとない勉強のチャンスを得ているじゃないか。こんなありがたいことはないよ」

手紙を読んでいるうちに、吉田さんは自分が間違っていたことに気づき、つまらないと思える仕事でも一所懸命に取り組むように変わっていったのです。

このように、心の置きどころを変えてみると、視野が開けて仕事への考え方や取り組みが変わる場合があります。悩んでいるときは、どうしても視野が狭くなりがちです。そういうときに自分の仕事を客観的に眺めてみると、気分が変わって、やる気が湧いてくるものなのです。

大きなことを考える習慣を身につける

先に天職というのは続けていかないとわからないと言いましたが、誰であれ会社を辞めたいと考える時期はあるものです。その原因を考えてみると、案外つまらないことが理由となっているケースが多々あります。

たとえば、野村證券では十年勤務すると俸給に百円の差がつきます。そのたった百円の差でどうだこうだと大慌てしている人がいました。あるいは「同期に入った誰々はボーナスいくらもらっているのに俺はいくらだ」と不満を漏らしたり、「お前、ボーナスいくらもらった。おっ、俺と一緒だな。安心した」といった小さなことで一喜一憂している人が非常にたくさんいました。

まず私が申し上げたいのは、つまらないことを気にするな、ということです。たとえば、「あいつはいつも課長と一緒に昼飯に行っているから、課長に気に入られている」と本当につまらないことを言う人がいます。しかし、一緒に昼飯に行った回数で部下を評価するような上司であれば、どうせ業績も上がらないし、そのうち別の部署へ転勤させられるのがオチです。それまで二、三年の辛抱だというくらいに考えておけばいいのです。いちいち、それを自分と結びつけて考える必要はありません。

そういうつまらない日常の出来事を気にするよりも、世の中に目を向けて、常に大きな志を掲げ、自分に何ができるかを考える習慣を身につけることが大切だと思うのです。

仕事を辞めたくなる理由には、吉田茂さんの例のように、自分がつまらない業務をやらされていると感じるというものがあります。たとえば、「またコピーをとってこいと言われた。いつも雑用ばかりやらされる」というようなケースです。これで仕事に嫌気がさしてしまうわけです。

しかし、この考え方には大いに問題があると思います。

二宮尊徳翁は「積小為大《せきしょういだい》」という言葉を残しています。「小を積み上げて大を為す」という意味ですが、この考え方が大事なのです。世の中はなんでも、小さなことの積み上げによってできています。日常の小さな努力の積み重ねが、いざというときに大きな力となっていくのです。大きな仕事をしようと思うのなら、小さな仕事を大切にしなくてはならないのです。

経験の少ない人間が最初から大きな事業をしようとしても失敗するだけです。ろくに経験もないのに「一発博打《ばくち》でも打とう」というような無謀な考えは持たないほうがいいのです。

小さなことを続ける。それは尊い行いなのだと見方を変える必要があります。なんであれ「つまらない」とは考えない。すべての小さな行いが自分を成長させてくれると考え方を変えれば、なんであれ意欲的に取り組めるようになります。先ほどの牧野伸顕公の手紙はまさにそれを指摘しているのです。

また、失敗して落ち込んで会社を辞めたくなるというケースもあります。評価されずにおもしろくないから、辞めてしまおうかと考えるわけです。

これも考え方を変えてみるといいでしょう。失敗するのが当然だ、世の中の九〇パーセントは思うようにはならない、と考えればいいのです。ほとんどがうまくいくと思っているから、失敗すると落ち込んでしまうのです。

物事の思い方、心の置き方をどうするか。仕事を成功に導くためには、これが非常に大事だと思います。

私は「失敗しても後ろは振り返らない」と、いつも自分に言い聞かせています。たとえ失敗したとしても、「あっ、これは天命だ。天はここで自分に失敗させたほうがいいと考えて、こうしてくれたんだ」と考えるようにしています。

それから常に新しいチャレンジについて考えています。結果については、天がすべてよきように取り計らってくれると思えば、気は楽です。運を天に任せて、思い切ったチャレンジができるようになります。

私は「失敗しても後ろは振り返らない」と、いつも自分に言い聞かせています。たとえ失敗したとしても、「あっ、これは天命だ。天はここで自分に失敗させたほうがいいと考えて、こうしてくれたんだ」と考えるようにしています。

成功するまでやり続ける

失敗を前向きにとらえる姿勢が大切

教育哲学者の森信三先生の名著『修身教授録』の中に出てくる「最善観」という言葉があります。すべてを善きことととして受け止める姿勢を持てば、人間がポジティブになれる、前向きになれるという意味の言葉です。これを中村天風さん流に言えば、「颯爽《さっそう》、溌剌《はつらつ》、明朗」となります。こうした姿勢が大切なのです。

後ろ向きに考えたり、失敗したことを嘆き悔やんだりすると、どんどん落ち込んでいくだけです。ですから、私の考え方の中に、前向きに問題をとらえないという選択は一つもありません。どんな困難であれ、常に前向きにとらえて取り組んできました。

ただし、失敗を反省するのは大事です。一度失敗したら、二度と同じ失敗を繰り返さないという姿勢は絶対に欠かせません。反省とは、失敗を繰り返さないためにするものでなくてはならないのです。

いろいろな人に相談したり、先輩諸氏からのアドバイスに素直に耳を傾ける態度も大切です。人の意見に耳を傾ける、それも年を経て経験も知識も豊富に持っている先輩の意見を聞いてみると、自分一人で考えていたのとは違った世界が見えてきます。私自身の体験を振り返っても、ここぞというときに、「なるほど」と思う意見を言ってくださった先輩方が必ずいました。

また、思うように行かないとき、私は本を読みました。そういう中で、中国清朝末期の軍人であり政治家でもある曾国藩《そうこくはん》の「四耐」という言葉を知りました。

「冷に耐え、苦に耐え、煩《はん》に耐え、閑《かん》に耐える」

曾国藩はこれが人間には必要だというのです。

この耐えるというのが最近の人にはなかなか難しいようですが、もし耐えられないという人は、昼寝でもしておけばいいのです。広田弘毅《こうき》の詠んだ「風車　風が吹くま

「冷に耐え、苦に耐え、煩に耐え、閑に耐える」

曾国藩はこれが人間には必要だというのです。

で昼寝かな」という句がありますが、そのぐらいドンと構えていればいいのです。自分の行いが「天を仰いで恥じず、地に伏して恥じず」なら、それでいい。どうして世の中の毀誉褒貶《きよほうへん》に耳を傾ける必要があるのか。あらゆることを最善として受け入れて、まさに「天を怨《うら》みず、人を尤《とが》めず」。自分のした行動の責任は自分でとる。それがすべてじゃないか——と今の私には思えるようになりました。

もちろん、そのためには人事を尽くさなくてはなりません。それは大前提です。ところが、昨今は人事を尽くさないまま見切り発車してしまい、それがいろいろな問題の原因になっているケースが多いように思います。人事を尽くすこともなく、耐え忍ぶこともなく、簡単に物事を考えて行動に移してしまう。そういう人たちは、十年二十年と時間が経過していくとともに、自らの考えと行いの底の浅さを後悔していくのではないでしょうか。

世の中に起こるすべてのものに無駄がない

自分の天分を知るためには、とにかく自分で努力するしかありません。一に努力、二に努力……。「つとめても　なおつとめても　つとめても　つとめたらぬは　つとめなりけり」という世界です。自分に与えられた仕事を大きな視野で見て、できるところから徹底的に取り組んでいく。それによって、自分の天分がわかり、花が咲いていくということなのだと思います。

努力もせずに愚痴《ぐち》を言い、文句を言う。そして、やる前から「できません」と諦めてしまう。これが一番いけません。「なせばなる」という前向きの考え方を持つことです。そして、「なさねばならない」という強い意志を持つことが大切なのです。

これを教えるのは、リーダーの大事な仕事でもあります。もしあなたが指導する立場に立ったなら、同じことを何度も繰り返し、朝から晩まで徹底的に吹き込まなくてはなりません。

努力もせずに愚痴を言い、文句を言う。そして、やる前から「できません」と諦めてしまう。これが一番いけません。「なせばなる」という前向きの考え方を持つことです。そして、「なさねばならない」という強い意志を持つことが大切なのです。

まずやってみろ。

「できない」なんてすぐに音を上げるな。

できないのなら、なぜできないのかを考えろ。

知恵と工夫と努力が十分かどうかをもう一度反省してみろ。

ものの見方を少し変えて、もう一度やり直してみろ。


これを事あるごとに徹底して教え込むと、かなり周知されてきます。

結局、失敗というのは、松下幸之助さんの言うように、成功する前に諦めてしまうから失敗するのです。成功するまでとことんやれば必ず成功する。そういう気構えが大切です。

時には方法論が間違っていて失敗する場合もあります。そういう場合には、やり方を変えてもう一度やり直してみるのです。そうすれば、必ず成功に至ります。

こういう手順を丁寧に踏んでやっていけば、この世の中に起こるすべてのものには何一つ無駄がないとよくわかってきます。ずっと続けてきたことのすべてにおいて、それを一所懸命にやっている限り、無駄はない。最終的に、すべてはプラスになっていくのです。

ただし、一所懸命にやらなかったら何ものもプラスにはなりません。すべてが無駄で終わってしまいます。それは本当に人生を無駄にしているに等しいことですから、何事においても一所懸命にやらなくてはいけないということになるわけです。

仕事の達人になるための勉強法

自分を鍛える三つの方法

一所懸命に一つのことに打ち込めば、それがなんであれ、必ず上達します。しかし、ただガムシャラにやるだけでなく、そこにちょっとした工夫を加えれば、より早く仕事のできる人間になれるかもしれません。では、どんな工夫をすればいいのか。それにはいくつかのポイントがあると思います。

①判断力、直観力を養う

まず一つは、仕事に関する判断をしていく力をつけることです。判断が間違っていなければ、仕事はうまくいくことのほうが多いのです。したがって、その判断を正しくする力を養うことが大切です。そのためには、次のようなトレーニングが効果的でしょう。

たとえばテレビを見ているとき、政治家や経営者が不祥事の弁明をしている場面が映ったとします。そのときに、「あの発言はまずいな。自分ならこう言う」というように、常に自分を主人公に置いて考えてみる。さらには、自分のやり方で行ったとしたら結果はどうなっただろうかと推論してみるのです。

あるいは、彼はこう釈明したけれど、その結果はどうなったかを見届けていく。そうやって、日常的に判断力、直観力を養う習慣をつけるのです。

②ものの見方・考え方を養う

二つ目は、ものの見方や考え方を鍛えることです。

安岡正篤先生は思考の三原則として、次の三つをあげておられます。

・根本的にものを見る。
・多面的にものを見る。
・長期的にものを見る。

安岡先生が言っておられるように、大局的にものを見る、ものの根本を見ることはとても大事です。私たちが物事を判断する場合、ともすれば枝葉末節《しようまっせつ》にばかり目が行きがちですから、常に「果たしてこれが本質なのかどうか」と考える習慣をつけるといいでしょう。

また、近視眼的にならないように、できるだけ長期的視野に立ってものを考えてみる。そして、いろいろな角度から多面的にものを考えてみる態度も大切です。さらに、「策に三策あるべし」と言うように、常にA案、B案、C案と三つの案を用意しておき、いろんなケースに備えるのも大事なことです。

この思考の三原則は自分一人で考えるというものではありません。「君はどう思う」と周囲の人に問いを投げかけて、意見を聞いてみるようにするべきです。特に、多面的にものを見るためには、いろんな人の意見を聞くのが一番です。

自分の頭の中だけで考えていると、どうしても自分の考え方の癖に引きずられて偏った見方になりがちです。だからこそ、人に尋ねるという行為が重要になるのです。いろいろな意見を聞いたうえで、ニュートラルな立場に立って、最終的に自分で判断すればいいのです。

ものの見方や考え方を養うためには、いろいろな人の意見を聞くとともに、いろいろな書物を読むのもいい方法です。書物からは物事をいろいろな角度から見ることを学べます。中でも、歴史の本は勉強になります。それから、論争史と称される分野の本も、多面的に物事を見る目を養うのに役立ちます。

たとえば、いろんな経済史を読むと、十八世紀後半に農業を重視する重農主義という思想が出てきます。するとそれに対抗する形で、商業を重く見る重商主義が出てきたと書いてあります。こういう流れの中で重商主義が重農主義を否定していくのですが、さらにこの重商主義を否定する人が現れてくる。それがアダム・スミスです。彼の著した『国富論』は、新興ブルジョワジーが新しい産業を起こすためのバイブルとして読まれ、その結果、産業革命が起こるのです。その意味で『国富論』はまさに重商主義批判の書なのです。

このように、経済の分野に限らず、歴史を動かしていく論争というものがあります。こういったものを読んでいくと、歴史の連続性を学べるとともに、比較検討しながら多角的に物事を見る力が養えます。

ものの見方を鍛える方法は他にもいくらでもあります。

たとえば、法学部出身の人なら、あるケースについて、弁護士、判事、検事の意見を並べてみると、そこにさまざまなものの見方があることがわかります。検事と弁護士は全く対立していて、一方は無罪だと言い、一方は有罪だと言っているわけです。彼らはそれぞれ、いかに自分の主張を正当化しようかと考えながら議論を戦わせています。その論旨を読むことによって、ものを見る能力が磨かれていきます。

このように、自分の専門分野を活かしてトレーニングを積んでいくというのも一つの方法です。

③すべてを自分のこととして考える

三つ目は、あらゆることを人のせいにしないということです。東洋哲学の基本には、すべて己に帰着するという考え方があります。「己の勉強が足らないから」「己の修養が足らないから」そういう結果を招いたのだと考えるのです。これが東洋哲学の根本であり、西洋哲学とは決定的に違うところです。

この己に帰着させるという考えで物事を行っていると、そこに反省が生まれます。しかし、人のせいにしていたら、いつまで経っても反省はできません。反省できなければ、成長もできないのです。

あなたが仕事のできる人間になりたいのなら、他人のせいにすることは禁物です。常に己に帰着させ、己が反省しなくてはいけません。それがとても大事です。

ご縁を広げる

自分の力を伸ばそうと思うのなら、時としてご縁を広げるための努力もしなくては

あなたが仕事のできる人間になりたいのなら、他人のせいにすることは禁物です。常に己に帰着させ、己が反省しなくてはいけません。

いけません。

仏教に「縁尋機妙《えんじんきみょう》」という言葉があります。「良き縁がさらに良き縁を尋ねて、その発展の仕方といえば誠に機妙である」という意味でありますが、全くその通りだと思います。

また、この「縁尋機妙」と一対で使われる言葉に「多逢勝因《たほうしょういん》」があります。「いろんないい縁を結んでいくと、それがいい結果につながる」という意味で、やはりご縁のありがたさを説いています。ご縁が広がれば広がるほどいい仕事ができる、というのは間違いありません。

では、ご縁を広げるためにはどうすればいいのでしょうか。一つには、先にもふれたように自分の趣味の世界を通じてご縁をつくるという方法があるでしょう。お茶をやる人ならばお茶の世界を通じていろんなご縁をつくればいいし、絵画に興味のある人は一緒にいろんな絵を見に行く仲間を集めて同好会をつくるのもいいでしょう。

特に今はネットの世界が広がっていますから、ご縁をつくりやすい状況になっています。いろいろな人が自分の意見をネットで表現し、いろいろな人がそれに意見を返していきます。そういうやりとりの中で一つのご縁ができていくというのは、とてもいいことだと思います。ご縁を広げていくことで、仕事の世界が広がったり、心のゆとりが生まれたりしていくものだと思います。

「運」と「機」を味方につける

「運」と「機」をつかまえる

事業において行動に移すときは、その動機が社会的に正しいものなのかどうかを見極めるとともに、動くタイミングも見極める必要があります。禅家の公案には「啐啄《そったく》同機《どうき》」という言葉があります。母鳥が卵の殻を外側からつつく。同時に雛《ひな》が内側から殻をつつく。そのタイミングが一致すると、うまく孵化《ふか》できる。早すぎても遅すぎてもいけない、というわけです。

この「機」をきちんとつかまないと、何事もうまくいかないと思います。そこを外すと物事が生きてこないというような一点を「機」といいます。ともすると私たちは

「運」ばかりを大事なものだと考えがちですが、「機」も同じように大事なのです。

私は何か物事をやろうとするとき、誰にやらせるかと考えて、「最近、あいつはついている。彼のやっていることはよく当っている。それなら彼にこの事業やらせてみようか」と決めることがあります。

逆に、「機」の弱い人もいます。優秀なのだけれど、何をやってもうまくいかないなという人です。こういう人は、まだ機が熟していないと見るのです。

事にはすべてにおいて「運」と「機」が影響します。これらの弱い人は、実力があってもなかなかうまくいかないようです。だからこそ、その人の「運」と「機」が今どうなのかを見抜かなくてはいけないのです。これはリーダーたる者の務めでもあると思っています。

「運」と「機」を判断する必要性は、自分自身についても言えることです。自分の「運」と「機」が未来永劫《えいごう》まで強いわけではありません。必ず、「ここのところうまく行かないな」という時期がやってきます。

そういうとき、私はあまり無理をしません。人間にはバイオリズムというものがあって、それが下がっているときは、やはりうまくいかないことが多いようです。

では、自分の「運」と「機」をどうやってチェックすればいいでしょうか。

私の場合は、それを「ソリティア」というパソコンのトランプゲームで計っています。一から順番にカードを並べていって、最終的に十三まで積み上げれば上がりというゲームです。これを毎朝、三回勝負をして、その日の「運」と「機」を占っています。

これらが強いときは、三回とも全部上がります。そういう日は勝負しても大丈夫だと判断します。逆に、三回とも上がれない日はこれらが悪いので、無理をしない。一回上がっても、あとの二回が駄目だったら、あまり調子に乗らないほうがいい。二回上がって一回駄目なら、今日はまあまあ行けるだろうと考えるわけです。

ゲームで判断するなんて馬鹿みたいな話に聞こえるかもしれません。でも、この世に「天」という絶対の存在があると信じるならば、何もおかしなことではありません。天の啓示があらゆることに通じて答えを示してくれていると思えば、こういう考え方も馬鹿にしたものではないと思います。

神頼みみたいな世界だととられるかもしれませんが、私に選択が委ねられている案件は、ある意味、人智を超えて選ぶしかないというものが大半です。メリット、デメリットをすべて勘案して、それでも選びようのない問題だけが私のところにやってくるのです。普通の案件なら、私のところに来る必要はないのです。そういうものには私も目を通している時間がないから、「天命だと思って、あなたたちが自分で考えて決めなさい」と言って部下に判断を任せてしまいます。

甲乙つけがたい、しかし、どちらか一方を選ばなければいけないという難題を目の前にしたとき、当て物で選ぶのも一つの判断方法だと私は思っています。このように運を天に任せることも、時には必要なのだと考えているのです。

人間はちっぽけな存在だと知る

ぎりぎりの判断が迫られているとき、私は直感に頼ることが多々あります。直感というのは不思議なものです。これは、仕事に真剣に取り組んできた結果としての人間的成長に加えられるべきものだと私は思っています。この直感がものを言うことがしばしばあるのです。

ただし、直感だけですべて決めていいのかというときに、慎重を期して、「運」と「機」もチェックしているわけです。今日はこれらが最高だし百パーセント自分の直感で行こうという日は、それだけで行きます。だけど、直感ではAと出ているけれど、今日は弱いというときは、明日まで待ってもう一度「運」と「機」を見てみようと考えます。そして翌日のこれらが非常に良く、その日の直感で出た答えがBだったとすれば、Bで行こうと決断するわけです。

要するに、私は天を相手にして物事を決めているのです。この世の中で、人間一人の判断力なんて本当に微々たるものです。それを微々たるものだと思っていないところに、大変な落とし穴があると思うのです。自分はちっぽけな存在であると思えば、天を恐れる気持ちが湧いてきます。そして、どこにいても天が見ていると思うから、人間は一人静かに改心しようとするのです。そこに「大学」にある慎独の世界、独り慎む世界が生まれてくるわけです。

それを忘れて自分がすべてだと思い込んでしまい、天も何も恐れないとなると、まさに独裁になってしまいます。こうなると誰の言葉も聞かなくなります。つまり、天の存在を認めることが、他の人の意見を聞く姿勢につながるものだと思うのです。

天を信ずるのであれば、自分の「運」や「機」が弱っているときは、運気が回復するまで待つしかないと諦めがつきます。そういうときは、瞑想をするなどして静かな境地に自分を置くのです。

私の家には、中国の著名な書道家に書いていただいた「寧静致遠《ねいせいちえん》」という書があります。これは諸葛亮孔明が五丈原の戦場で陣没するとき、幼い息子に宛てて書いた遺書の中にある「淡白にあらざればもって志を明らかにするなく、寧静にあらざればもって遠きを致すなし」からとった言葉です。「私利私欲に溺れることなく淡白でなければ志を持続させることができない。ゆったりと落ち着いた状況にないと遠大な境地に到達することはできない」といった意味になるわけですが、私はその字を見ながら、じっと何も考えない時間をつくるようにしています。

日頃は休みなく働いていますが、やはりリラックスする時間は大事です。特に「寧静致遠」という遠大な境地に達するためには、静かで落ち着いた心の余裕を持たなくてはなりません。ぐたぐたと考えるのはやめて、ゆっくりと一呼吸おいて、よく寝る。それで翌日、もう一度「運」や「機」の回復を確かめてみる。その結果がよければ、そのときは自分の直感を信じて勝負するのです。

すべての前提に健康がある

健康管理のできない人にいい仕事はできない

仕事が上達するためには、時間の使い方も大切な要素です。一日二十四時間、これは誰にとっても同じ条件です。その二十四時間をいかに有意義に過ごすかによって、差がついていくのです。そして一日を有意義に過ごそうと思えば、どうしても睡眠時間を減らすしかないのです。

私の睡眠時間は四時間です。長年の習慣で、何時に寝てもだいたい四時間たったら目が覚めるようになっています。考えごとをしたり本を読んでいてやめられなくなって、夜中の二時か三時に寝るときもありますが、それでもだいたい四時間すると目が覚めます。

十時ごろに寝ると、夜中の二時には目が覚めます。目が覚めたら朝まで本を読んでいます。十二時ごろまで読書をしているときは、それから四時間眠って起きて、インターネットでアメリカの株式市場の様子をざっと眺めてから読書をすることもあります。

そのため私のベッドの枕元にはいつもたくさんの本が積んであります。私は机の前に座って本を読むのが苦手で、ベッドに横になったまま読む習性があるのです。だから、朝もベッドで読んでいます。すぐに電気が点くようになっていて、手を伸ばしたら本が手にとれて、そのまま読めるようにしてあります。

読み終わった本は書庫に入れて次の新しい本を並べておくのですが、私の場合、一冊ずつ読むわけではなくて、いろいろな本を並行して読んでいきます。人間学の本を読む一方で金融の本を読んだり、英語の本が入っていたりという具合です。この読み方は若いころから変わっていません。

四時間睡眠でよく体が持ちますねと驚かれますが、それが習慣になっているから熟睡できるようです。ときどき疲れたなと思ったときは昼寝をしますが、基本は四時間睡眠で大丈夫です。

なぜ四時間しか寝ないのかというと、そうせざるを得ないからです。迫りくるものは自分の衰えであり、死です。私にあとどのくらいの時間が残されているのかはわかりませんが、いずれにしろ永遠に生きられるわけではありません。限られた時間しか私には与えられていないのです。

お釈迦さんは「生老病死」を四苦と言いました。生まれて、老いて、そして病を得て、死す。私も五十六になり、すでに人生半ばの峠は越えています。山積する問題を片づけていくためには、睡眠時間を削るより他に方法がないのです。

難しい問題を考えていると、寝つかれないこともしょっちゅうあります。しかし、そんなときでも「天がもっとお前を鍛えなくてはいけないと言ってくれているんだ」と思いながら、粉骨砕身《ふんこつさいしん》頑張るしかないと自分に気合を入れています。

しかし、睡眠時間を減らして病気になったら元も子もありません。したがって、熟睡することが大切です。中途半端な寝方はせず、効率よく寝るのです。

それと同時に、適度な運動の時間も入れながら健康管理をしています。健康が損なわれたら、有意義な時間の使い方はできません。健康であることが、大前提になるのです。

ナポレオンが最後の戦争に負けたのはなぜか。彼の遺体を解剖して、その理由が明らかになっています。彼は脳下垂体が冒されていたのです。そのため、あの精悍《せいかん》なナポレオンが徐々に水ぶくれみたいに太っていき、戦争のさなかに昼寝をするようになってしまいました。体がおかしくなっていた証拠です。

健康な体があってはじめて充実した仕事ができるのです。そういう意識をしっかり持って、健康を維持する適度な睡眠や適度な運動を取り入れることです。これはいい仕事をするために最も大事なことです。健康の維持を大前提として、仕事を効率的にやることを考えるべきなのです。

私の健康法

私は週三回ぐらい運動をしています。お昼時にジムへ行って、ウォーキングマシーンで三十六分間、四キロを歩きます。割合早歩きです。それから簡単に昼飯を食べてシャワーを浴びて会社に戻ります。食事はウィークデーの夕食はだいたい会食が入ってしまうため、土日の晩ご飯は抜いて、野菜ジュースと果物で済ましています。そのおかげで体重がだいぶ落ちました。

一つ決めているのは、五十七歳になったら、ウィークデーの一日も同じように夕食を抜こうということです。太りがちなうえに夜のお付き合いが必ずありますから、自分で決めて自己管理するしかないのです。ただ、今でも二次会は絶対に行きません。ご飯を食べたら終わりです。

また、土日はゴルフには行きません。時間がもったいないからです。私は、ゴルフをする時間があったら本を読んだほうがいい。あるいは散歩をしたり、自然の中で精神を休めるほうがいいと思っています。

土日はできるだけ仕事を入れないようにしているのですが、それでも冠婚葬祭などの浮世の義理があります。ただし、この浮世の義理も、六十五を過ぎたらご遠慮させていただこうと思っています。そのくらいの年になると、義理を欠くことが健康上、大事なことになると思っているからです。

もっとも何をしても「死生命あり」ですから、いつ死ぬかはわかりません。しかし、だからと言って何もやらないというのではなく、できることはやっておこうと思っています。

私にとって、痩せている状態というのがすべてにおいていいようです。だから今は、どこも悪いところはありません。もちろん、検査は定期的に受けています。脳ドックには年に一回入って、微小の脳梗塞がないか、血管の詰まりがないかを調べています。毎年定期的に調べて、自分の脳に問題がないことを確認しています。五十五にもなると微小脳梗塞の一つくらいはあって当たり前だと言われますが、幸いなことに私には一つもありません。非常に精度の高い機械で調べていますが、異常なしです。

脳の定期的な診断を受けることは、経営トップに課せられた責任だと思っています。

自分の脳が衰えている、あるいは気力も体力も知力も衰えているのに、自らの職掌にしがみつくようなみっともないまねだけはしたくないと思っているからです。

東洋哲学において、出処進退は完成された人間としての晩年の一番大事な判断です。これを間違うと晩節を汚すことになります。そうはなりたくないと思うから、脳ドックで検査を受けているわけです。やはり健全な精神は健全な肉体に宿るものなのです。

心を休める時間を持つ

「忙中閑《ぼうちゅうかん》あり」という言葉がありますが、忙しい中にも自分の時間を見つけることは必要です。私も忙しいのですが、暇は自分でつくらなくてはいけないと思っています。

ただし、ここで言う「暇」とは無駄な時間のことではありません。先に「寧静致遠」という言葉をあげましたが、時として自分をじっくり振り返り、あるいは何も考えないでただ心を休める時間を持つことが大切なのです。

最近、うつ病にかかる人が多くなっています。これは現代病と言っていいと思いますが、会社の中にも、家庭の中でも、多くの人がうつ病傾向になっています。会社では、仕事がうまくいかない、出世が遅いなどと気に病んでいるうちにうつ病にかかる人がたくさんいます。

この原因の一つは、睡眠が足らないことにあります。先に申し上げた健康管理の失敗に起因しているのです。そして、うつ病にならないようにするためには、心の置き方を考えること。心というものを常に意識しないといけないと思います。それを意識しつつ、時間を効率的に使いながら仕事をしていくことが大事だと思っています。

徳を高めることが仕事を成功に導く

得ではなく徳を教えることの大切さ

金融業界で働く人は金銭感覚には長けているけれど人間学なんて関係ない、知らない、という人が多いようです。しかし、私は当社で働いている社員に人間学の重要性をこんこんと説いています。月初に行う朝礼のときでも、必ず人間学に基づいた話をします。社員を採用したり登用するときも、「徳を重視する、徳のある者を選ぶ」とはっきり宣言しています。トップがそう言えば、社員は徳を磨かなければいけないと本気で思うだろうと考えているからです。

今の時代、特に金融業界で「徳を重視する」なんていう経営者は皆無と言ってもい金融業界で働く人は金銭感覚には長けているけれど人間学なんて関係ない、知らない、という人が多いようです。しかし、私は当社で働いている社員に人間学の重要性をこんこんと説いています。……社員を採用したり登用するときも、「徳を重視する、徳のある者を選ぶ」とはっきり宣言しています。

いかもしれません。だから、私は変人だと思われているようです。でも、わかる人はわかってくれています。過日も、北京にあるベンチャーキャピタルを訪問して会長と話をしたとき、私が古典の話を持ち出すと相手の態度がころりと変わりました。彼はおそらく私よりも年配です。だから、若いときに古典教育を受けているはずです。それで話が合って、帰りには玄関まで出てきて見送ってくれました。

人民大会堂でお会いした全人代のナンバー2の姜春雲氏とは四書五経の話をしました。彼は四歳か五歳のとき、お父さんから教えられたと言っていました。この中国共産党の人とも話が合って談論風発、三十分の面会予定が一時間オーバーするほど盛り上がってしまいました。だいたい毛沢東にしろ周恩来にしろ、中国の指導者は古典をものすごく勉強しています。今の共産党の幹部たちも皆そうです。

文化大革命のときには焚書坑儒のような形で論語の本がすべて焼き捨てられましたが、隠し持っていた人もいれば、頭の中に記憶していた人もいるのです。だからこそ今になって、孔子が復活してきているわけです。

中国には古典に造詣の深い人たちがたくさんいます。まさに本家本元の深みを感じました。

東洋哲学では、徳が才に勝る人を君子と呼びます。才が徳に勝っている人というのは、大才であったとしても小人なのです。どちらも並外れてすぐれている人を聖人と呼ぶわけですが、徳か才かといわれたら、やはり徳のほうに重きを置くのです。

日本と中国が一緒に仕事をしていく機会は今後ますます増えてくると思います。そのときに自らの勉強不足を恥じないで済むように、日頃から古典にふれる習慣を身につけておきたいものです。そうした意味で、古典に親しむということは、これからのビジネスマンの必須のテーマになるのではないかと思っています。

「憤」の一字を胸中に抱いているか

仕事をやり遂げるうえで絶対に欠かせないものを一つあげよと言われたら、私は「憤」の一字をあげたいと思います。憤がないことには、頑張りようがないのです。「何するものぞ」という負けじ魂が出てこないと、本物にはなれないのです。

そういう意味で、人間的成長の原動力の第一は「憤」だと私は思っています。

ところが、昨今の若い人たちは、胸中に憤が湧き起こる前に諦めてしまいます。発心、決心はするのですが、憤がないために簡単に初心を忘れてしまいます。それはまさに咽元《のどもと》過ぎれば熱さを忘れるが如くです。その繰り返しをしているように思います。

これでは仕事ができるようにはなりません。やはり胸に憤の一字をしっかり抱いて、一度やると決めたことは苦しくても頑張り抜く姿勢が大切なのです。

これは志がどれほどしっかりしているかと言い換えてもいいと思います。仕事において結果を出すために、志は必要不可欠なものです。

しかし、志ほど壊れやすいものもないというのも事実です。まさにそのことを、司馬遼太郎の『峠』という小説の中で、越後長岡藩の英傑河井継之助が言っています。

「志ほど世にとけやすく、壊れやすく、砕けやすいものはない」

と。

「発心・決心・持続心」という言葉があります。何かをなそうとするとき、発心、決心までは誰でもいきます。しかし、それを何年、何十年と倦《う》まず弛《たゆ》まず持続することは並大抵ではありません。相続心がないから志が頓挫《とんざ》してしまうのです。継続するとは、かくも難しいものです。

それでもなお、志が必要なのです。志がなければ、事業の成功も人間としての完成も期待できません。

「志ある者、事遂に成る」

と言うように、高い志こそが人間を成長発展させていく原動力になるからです。

仕事という行を通じて活眼する

最近は、志と野心を勘違いしている人がたくさんいます。この二つは全く違うものなのです。志というのは利他的なものです。だから共有され、後世に受け継がれて行きます。一方、野心とは利己的なものですから一代で完結してしまい、受け継ぐ者が出てこないのです。

松下幸之助さんは高い志を持った素晴らしい経営者でした。松下さんは大正七年に松下電器産業を創立されますが、昭和七年五月五日に真の使命を知ったとして、その日を「命知元年」と名づけられました。そして、全従業員を集めて「所主告示」という次の一文を発表されたのです。

「凡《およ》そ生産の目的は我等生活用品の必需品の充実を足らしめ、而《しこう》してその生活内容を改善拡充せしめることをもってその主眼とするものであり、私の念願もまたここに存するものであります。我等が松下電器産業はかかる使命の達成をもって究極の目的とし、今後一層これに対して渾身《こんしん》の力を揮《ふる》い、一路邁進《まいしん》せんことを期する次第であります」

ここには金儲けのことなどひと言も書いてありません。ここで述べられているのは、まさに世のため人のためという想いです。これが本物の志というものだと私は思います。そして、こうした志のもとで事業を行ったがゆえに、松下さんは成功されたのだと思うのです。

一つのことが長続きしないというのは、徳が足りないと言い換えてもいいと思います。結局、いくら素地があっても徳がないと長続きはしないのです。

その点で、松下幸之助さんは本当に徳のあった人なのだと思います。小学校卒業という学歴で、あれほどの大会社を育て上げたのは大変なものです。おそらく、事業を続ける中で、会社が大きくなるほどに人間としても成長されたのでしょう。

稲盛和夫さんもそうだと思います。最初から「動機善なりや、私心なかりしか」という心境に至っていたわけではないでしょう。松下さん同様、事業の中で艱難辛苦と出遭い、それを打開するために必死に自分を追い詰めているうちに、ああいう言葉と出合ったのに違いありません。しかも、頭を丸めて托鉢までするようになるのですから尊いことです。

私は仕事も一つの行であると考えています。一心に打ち込んだ仕事は、禅僧の行と同じなのです。どちらも人間を磨くために行うものなのです。だから、一方には三十年座り続けて活眼する人もいれば、もう一方には三十年働き続けて活眼する人もいる。そういうことなのではないかと思うのです。

禅の世界では、食事を作ることが一つの行として非常に大事にされています。それを続けるだけで、菩薩に至ることもあります。

仕事もそれと同じです。いつも同じことばかりやらされても愚痴をこぼさず、一所懸命に続ける。そして、自分から苦しい仕事に飛び込んでいって挑戦する。そうした一つひとつが行なのです。

人間学の修養を続けながら、いつも「世のため人のため」という気持ちを持って、絶えず襲ってくる私心や我欲を振り払っていく。そうやって心の曇りを消しながら、仕事の中で「世のため人のため」を貫き通すのです。

もちろん失敗することもあるし、一時的に雲に覆われることもあるでしょう。それは人間だからしかたのないことです。しかし、失敗しながらも努力を怠らず、三十年、四十年とやり続けたら、一つの世界に到達することができるのではないでしょうか。努力を怠らなければ、誰でも松下幸之助さんや稲盛和夫さんの世界に近づける可能性があるのです。

そのためには、目先の利益に囚われて、しかも楽をして財を成そうとしてはいけま私は仕事も一つの行であると考えています。

一心に打ち込んだ仕事は、禅僧の行と同じなのです。どちらも人間を磨くために行うものなのです。

せん。仕事という行を通じて自らに責任を課し、自らに義務を負わせ、自己犠牲の精神を持って、努力し、研鑽《けんさん》を続けなくてはいけません。その一方で、ただ働くだけではなくて、一つのフィロソフィーとなるまでに人間学を学び、自らを高めていくのです。

そこまでやって初めて、あのような素晴らしい世界に到達できるのではないかと思います。仕事も学びも、どちらも努力し続けなくてはいけません。我欲に覆われ、私心に襲われて沈没しては駄目なのです。人間である以上、無欲、没我になるのは簡単ではありません。だから、努力し続けるしかないのです。

仕事即ち修行なのだと思います。仕事ができるようになるとは、人間として一流になるということなのです。

おそらく真剣に仕事に取り組み続けた人は、皆この考えに同意していただけるのではないかと思います。ここにこそ、人生の長い期間にわたって仕事を続ける真の意味があるのではないかと私は考えています。

仕事即ち修行なのだと思います。仕事ができるようになるとは、人間として一流になるということなのです。

第五章 天命をまっとうして生きる

限りある命だからこそ

愛惜の念を持って生きる

論語の中に「未《いま》だ生を知らず、焉《いずく》んぞ死を知らん」という言葉が出てきます。死後の世界のこと、あるいは死についてほとんど語っていない孔子が、ここでは珍しく生と死について自らの考えを述べています。

孔子は何を言おうとしているのでしょうか。さまざまな本を読み、自分なりに考えてみました。そして私が得た結論は、「死を意識するからこそ生を意識するのだ」ということでした。

死を意識するということは空論であるからと、お釈迦様もあまり死後の世界のことにはふれていません。しかし私は、生をより鮮やかなものとして意識するために、死を意識することが大事なのではないかと思っているのです。

死を意識すると、天が自分に課した使命を果たすために与えられたこの命をできるだけ健康で保ち、長生きしていかなければならないという思いにつながります。そこから惜命、つまり命を惜しむ意識が湧いてきます。それが非常に重要なのではないのかと思うのです。

こうした中国古典の中に出てくる生と死をめぐるさまざまな考え方に自分自身の体験や経験が結びついて、いつしか私は命に対する愛惜の念を持つようになりました。

私の体験とは、たとえばこういうことです。

私の父は八十一歳まで生きましたが、父方の祖父も曽祖父も非常に早く亡くなっています。そういうことで、私は小さいときから母親に、「父親のほうはみんな早死にしていているから気を付けないといけませんよ。食べ過ぎは早死にしますよ」というように、よく言われていました。そのため漠然とですが、私の中にはそういう遺伝子があるのかなと考えたりもしました。

さらに野村證券の事業法人部の部長として働いていたときには、担当している約三百社の会社の役員、関係部署の社員の方々、その家族がお亡くなりになると、必ず葬儀に出席していました。事業法人部というのは会社と会社のリレーションシップを良好に保つのが最大の仕事ですから、葬儀は非常に大事なものと教えられていたのです。

しかし三百社もあると、時には一週間に五日ぐらい葬儀に参列することもありました。まだ若くして亡くなる方、子供さんを亡くされた方、奥さんに先立たれた方と、いろいろな葬儀に出席しました。

そういう現実にふれてつくづく感じたのは、平家物語に描かれているような諸行無常の世界でした。平家物語の書かれたときには戦争があり、また飢饉によってたくさんの人が死んでいきました。そこから無常観というものが生まれてきたわけですが、私も数多くの方の葬儀に参列しているうちに、無常観とはこういうものかと考えるようになったのです。

「この世は無常だ、いつ何時死が訪れるかわからない。その中でどう生きるべきなのか」ということを考える意識がより強くなったのです。

父の死に直面して

そして、いよいよ迎えた八十一歳の父の死。父は七十八歳のときに胸部大動脈瘤という病気が発見されました。心臓から出ている大動脈が普通の血管の五倍ぐらいに膨れ上がって、いつ破裂するかわからないという状態でした。

私もいろいろ手を尽くして、三共製薬の当時の専務に「この病気に一番いい病院はどこでしょうか」とお聞きしたところ、すぐに東京女子医大を紹介していただき、父親は入院しました。

それから三か月間にわたってさまざまな検査をして手術ができるかどうか調べました。その結果、七十八歳という高齢でもあるし、また心臓から頭に行く頸《けい》動脈の血管がプラークでかなり詰まっているという状況も判明し、「手術はしないほうがいいでしょう」という結論になりました。

しかし、父は生命に対する愛惜の念を強く持っていて、なんとか命を長らえる道はないものかと考え続けていました。

「もうちょっと生きたい。あと三年生きれば、子どもの行く末がだいたい見えてくる。それまではなんとか生きたい」

始終そう言っていました。

私が小さいころから、毎朝ご先祖様の前で手を合わせて拝むのが父の日課でした。ところが、病院での検査を受けたあとは、ご先祖様だけではなく、森羅万象《しんらばんしょう》に拝むようになりました。三十分ぐらい拝み続けている父の姿を見ていて、生に対する愛惜の念の強さを感じました。

あるとき、神戸市民病院の医師が手術できると言っているので手術を受けたい、と言い出しました。私も母も反対しました。手術をしてそのまま意識が戻らず、植物人間になってしまう危険性もあったからです。そういう危険を冒すより、いつ破裂するか知れない時限爆弾を抱えている状況ではあるけれど、普段は健康人と変わらない状態でいられる今のままでいたほうがいいのではないか、と父に進言しました。

しかし、父はどうしても手術をするといって聞かず、私たちも渋々それを受け入れました。そして、いよいよ病院に入院しようとするその日、思いもよらぬ事態が起こりました。関西大地震が神戸を襲ったのです。この予期せぬ出来事により入院は取りやめになり、手術も断念せざるをえませんでした。

そこでようやく、父は「任天・任運」という境地に到ったように思います。すべてを天にお任せして、生きることのできる時間だけ生きたらいい、と。そしてまた、生きていることに感謝をするようになりました。そのときを境に、父は周りにいるいろいろな人に「ありがとう」とよく言うようになりました。タクシーから降りるときも運転手さんに、「ありがとう、気をつけて運転しなさいよ」と言葉をかけるようになりました。

そういう父の姿を見ていて、自分も最後まで命に対して愛惜の念を持って生きて、最後の最後は「任天・任運」という心境になるのがいいな、と思ったのです。

命を惜しむと生き方が変わる

父を見て愛惜の念を持って生きようと決めてから、私自身も変化しました。

一つには、自らの健康に対して留意する気持ちが非常に強くなりました。最先端の医学に対する知識、健康に対する知識をしっかり知っておかなくてはならないと思うようになり、そういう書物を読んだり、インターネットで調べたり、友人のお医者さんに話を聞く機会を持つようになりました。

もう一つは、生への感謝の気持ちが生まれてきました。徒然草に「人、死を憎まば、生を愛すべし。存命の喜び、日々に楽しまざらんや」という言葉があります。自分が五体満足で暮らし、生きがいや働きがいを持って生き続けていることに感謝する。そういう気持ちが必要だということです。

徒然草を読んでいてこの言葉に出合ったとき、これは孔子の「未だ生を知らず、焉んぞ死を知らん」という言葉を読んで感じた「死を意識するからこそ生というものが強く意識されるようになるのだ」という思いと全く同じだと考えました。
また、それはまさに自分が生きていることに感謝し、限りある命を慈しんで生きるという、父が最後に到った境地とも同じものなのです。それに気づいたとき、自分もこういう気持ちを持つことが必要なのだと思うようになりました。

三つ目の変化として、社会貢献への強い思いが湧いてきました。生きている間に、世のため人のために何かしなくてはいけない。そうしないと棺桶に入るときに自分の人生はこれでよかったと満足できないのではないか、という気持ちが非常に強くなってきたのです。

その思いが結実して、二〇〇二年一月、私たちのグループ各社ではそれぞれが計上した最終利益が三億円を超えている場合にはその一パーセント程度を児童社会福祉法人等の施設へ寄付するという私の提案が役員会で了承され、直接的な社会貢献を始めることになりました。以来、いろいろな形で児童福祉に携わってきて、二〇〇五年十月六日には各方面の御尽力をいただいて、児童の自立支援および福祉を目的とした

「SBI子ども希望財団」を設立しました。

世のため人のために貢献していくのだと発心し、決心して、今まで相続心を持って続けてこれたこと自体、非常にありがたいことだと私は感謝しています。世の中には、相続心が足りないために、いつの間にかなおざりになってしまう福祉事業のほうが多いものですから。しかし私自身、この相続心だけは死ぬまで持ち続けたい、と決意しています。

そして、もう一つの変化は、時間を惜しむようになったことです。人間はいつ死ぬかわからないという中で、無駄なことに使う時間はないと強く思うようになりました。

「人、少壮のときに方《あた》りては、惜陰《せきいん》を知らず。知るといえども太《はなは》だ惜しむには至らず。四十を過ぎて已後、始めて惜陰を知る」

これは『言志四録』にある言葉です（『言志録』第一二三条）。

若いときは死を意識することがないから、自分の死が後ろに迫っているのがわからない。だから時間を無駄に過ごしてしまうのです。

たとえば、大学生が勉強をせずに一日マージャンに明け暮れているような姿を見ると、なんと馬鹿げたことか、もったいないと思います。あるいは、ゴルフというのも半日仕事です。私は野村の事業法人部にいたとき、仕事上の付き合いで、土曜日曜のたびにゴルフに行かなければなりませんでした。ソフトバンクに入って、ようやくそれから開放されたとき、ああ、ずいぶんと時間を無駄にしたと思ったものです。

厳密に言えば、健康にも多少はプラスになっていたかもしれないし、一緒にゴルフをした方々から多々教えてもらうことがありました。その点では全く無駄ではなかったのですが、もっとほかに有効な時間の使い方があったのではないか、というのが正直な気持ちでした。

道元は「親が死に瀕《ひん》していても行くな、親の葬式にも行くな、お前のやることは道を究めることだけだ」と厳しい言葉を残しています。それだけ時間というものを惜しまなくてはならないということなのでしょう。

たまに友達たちと楽しい時間を過ごすのはいいでしょうが、基本的には時間を惜しむという気持ちを持たなくてはいけない。特に五十を過ぎたら、そういう気持ちを強く持たなければいけないと私は思っています。

一分一秒たりとも無駄にできない

人間というのは、誰でも死ねば灰塵《かいじん》に帰すものです。だからこそ、生きている間に、死後に残る何かをしておく必要があると思うのです。松下幸之助さんの生き方は、まさにそうでした。事業というものを残しただけではなくて、著作を通じて、あるいは松下政経塾を通じて、死してなお、どれだけ多くの人を育て、感化していったことか。そういうことに思いを馳せると、松下さんの偉大さに改めて気づかされます。

森信三先生も同じです。「人生二度なし」という簡単な言葉の中に、どれだけの真理が込められているか。それをまた数多くの書として残されました。大変な哲学者であり、教育者であったと思います。

自分もそういう人間でありたい、死んでからも残るものをつくっておきたいと思うのです。もともと浅学非才の身ですから、私には大それたことはできません。しかし、道元は「親が死に瀕していても行くな、親の葬式にも行くな、お前のやることは道を究めることだけだ」と厳しい言葉を残しています。それだけ時間というものを惜しまなくてはならないということなのでしょう。

少しでも世のため人のためになるような何かを残したいという思いが、ＳＢＩ子ども希望財団につながっているのです。

しかし、そうやって生命に対する愛惜の念を持って生きていたとしても、人間は確実に死んでゆきます。だからこそ、人生をどう生きるか、この貴重な時間をどう使うかを考え抜かないといけないのです。まさに森先生の言われる「人生二度なし」です。一日は一生の縮図、一刹那《せつな》一刹那、一瞬間一瞬間、これの積み重ねが一日になり、一日の積み重ねが一か月になり一年になり、そして一生になる――そう考えると、この刹那刹那も無駄にはできないと思うのです。

また道元は言っています。

「生きたらばただこれ生《しょう》、滅きたらばこれ滅にむかひてつかふべし。いとふことなかれ、ねがふことなかれ」

天に任せて、今ここを生きる。そういう生き方をしなさい。これこそが死の恐怖を超える唯一の道であり、自分の生命が終わっても永遠の生命へつないでいくことになるのだと言っているわけですが、これもその通りだと思います。

さらに松尾芭蕉が臨終の床で弟子に言ったという次の言葉もすごいものです。

「昨日の発句は今日の辞世、今日の発句は明日の辞世、わが生涯の一句として辞世ならざるは無し」

すごい気迫です。人間はいつ死ぬかわからない。だから、今日自分が創った句が辞世の句になってもいいという思いで芭蕉は俳句というものに向き合っていたのです。

そんな芭蕉の本当に最後となった辞世の句、それが
「旅にやんで夢は枯野をかけめぐる」

でした。


私たちもこのような先人の生き方に学ぶべきです。自分なりに自分の天命を悟って、それを生き切るべきです。そのために、日々研鑽《けんさん》し努力することが大事なのだと思います。

使命を求めて生きる

天命に生きれば後悔が残らない

仕事即ち修行という考えを推し進めていくと、「天命を知る」ということに結びつきます。

修行なんて嫌だ、天命なんか関係ない、この世に神なんかいない、と言っている人たちはかわいそうです。人間の一生なんてはかないものなのです。ある日、気がつけば、もう明日には棺桶に入らなくてはいけない。目的もなくただ遊び暮らしていれば、「あぁもったいない人生だった」と悔いばかりが残ります。しかし、そのとき後悔しても遅いのです。

先に述べたように、若い人は若いからという理由だけで、「俺はまだまだ生きるから、死なんて関係ない」と思いがちです。しかし、死はいずれ必ずやって来るのです。さらに言えば、いつ来るかは誰にもわからないのです。

人は年老いて死ぬとは限りません。もしかすると明日、医者から「あなたは進行性のガンにかかっていて手の施しようがない。あと二、三か月の寿命です」と宣告されるかもしれません。そこで悔やんでも遅いのです。

「死生命あり」であるからこそ、いつ死を迎えようとも、「これも天命だ、天の配剤だ」と納得するために、一日一日を無駄にしないで生きなければいけないのだと思います。一日一日が勝負なのです。

先にふれたように、私は四十九のときに自分の天命を知ったと思い、それに向かって一所懸命努力をしてきました。それだけで、もう自分の人生は十分だと思っています。仮に今、余命を宣告されたとしても、何も思い残すことはありません。あとはただ、会社がうまくいくように天の新たなるお導きをお願いするのみです。それ以外には何も望むことはありません。

私は古典を通して、早い時期にそういう死生観を学びました。これは幸せなことだったと思っています。

自分なりの死生観を持つ

自分なりの死生観を持つことは、悔いのない人生を送るためには欠かせません。にもかかわらず、最近の若人が死生観を持てないというのは、一つの理由として、平均寿命が延びたことが考えられます。

昔は平均寿命が短かったため、人生の比較的早い時点で親の死と出合い、それを見つめることができました。ところが今は、医学の進歩によっていろいろな病気が克服されたため、親の死に遭遇する時期が遅くなっています。現在五十五の私でも母親は健在ですし、父親にしても八十一まで生きました。

このように親の死に触れる時期が遅くなったことが、死を身近に感じられない理由の一つだと思います。

そしてもう一つの理由は戦争がないことです。戦後の平和の中でずっと生きてこられたことが影響しているように思います。

もしも中東のような環境下で生まれていたら、若者の死生観は全然違ったものになっているはずです。また、第二次世界大戦勃発前に青春時代を送っていたとしたら、これも死生観は全く違っていたでしょう。

あの時代の青年たちにとって、死はすぐ傍《そば》にあるものでした。だからこそ、物事を深いところでとらえることができたのでしょうし、それがゆえに精神的にも非常に成熟していたのでしょう。反対に、今の若い人にいくら死生観や仕事観の話をしても、切実な思いがないから、なかなか心の奥深くにまで響かないのだと思います。

戦争の時代には、兄弟でも友達でも年若くして死ぬという現実がありました。今はそういう状況にないために、死生観についての意識が薄いのです。

平均寿命は延びる一方で、しかも自分はまだ若くて元気もある。日本は平和で戦争も起こらない。だから、定職を持たず、フリーターのような形で刹那刹那に人生を過ごすことで満足してしまっている。そういう若者が増えているように思います。

この傾向は、特に日本において際立っているように思います。

アメリカには、自らが攻められることはないけれど、Selective Service System（選抜徴兵登録制度）という徴兵に関する制度があります。そして、場合によってはイラクに派兵されて、命を落とす可能性もある。現に今、たくさんの若者がイラクで死んでいます。だからやはり、日本の若者とは死生観が違っているはずです。

日本は特別恵まれているのです。恵まれた結果、今のような現象が起こっているように思います。しかし、陰があれば陽がある、陽があれば陰があるというのがこの世の理です。いつも陽に当ってばかりいられないということを、日本の若者たちには知ってもらいたいのです。と同時に、平和のありがたさを噛み締めて、それに甘えることなく自らの使命を求め、世のため人のために尽くしてもらいたいと思うのです。

多くの志士を育てて明治維新への道筋をつけた吉田松陰は、二度の投獄を体験しています。しかも、わずか二十九で生涯を終えています。

「身はたとひ武蔵の野辺に朽ちぬとも　留め置かまし大和魂」

という辞世の句を残して死んでいったのです。しかし、彼の寿命は短かったかもしれないけれど、いまだに彼の名前は忘れられていません。その名は歴史に刻まれ永遠のものになり、二十一世紀を生き抜いているのです。

そういう若者たちがなかなか現れないというのは、恵まれすぎたゆえの不幸と言えるのかもしれません。しかし、自らの天命を見つけようという意志があれば、この日本においても命を輝かせて生きることができると私は思うのです。

豊かな社会と精神的な気高さを両立させる

気高い精神性なきところに物質的豊かさはない

今の若い世代の価値観は、

「今さえ良ければいい」

「今が楽しければいい」

「お金があればいい」

という三つで言い尽くされるという見方があります。

もしそれが本当ならば、全く不幸と言うしかありません。平和で豊かな時代を実現する代償として、日本人は精神というものを失ってしまったのかもしれません。

しかし本来、豊かな社会と日本人の精神性は両立するはずだと私は考えています。戦争で負けたことによって、日本人は、その精神性を美学にまで高めた武士道を捨ててしまいました。同時に、神道、儒学、仏教をうまく融合して練り上げてきた独自の精神文化を捨ててしまいました。その結果、戦後の日本が得たものは大きかったかもしれませんが、失ったものもまた大きかったのです。

精神的にも物質的にも豊かな社会というのは可能なはずです。私は両立できないとは思いません。振り返ってみれば、戦後の日本が発展できたのは、今、退職を迎えようとしている団塊の世代の人たちが、戦前の精神教育を受けた親から育てられたからだろうと思います。そういう日本人の精神性を胸中に持った人たちがいたからこそ、この豊かな時代をつくり上げることができたのです。

ところが今の若い人たちは、豊かな時代の中だけで育ってきました。彼らは伝統に基く精神的な教育を何も受けていません。そういう人たちに、この豊かな時代をいつまで持続できるだろうかと私は疑問に思います。これは大げさでなく日本の存亡を賭けた大問題なのです。

徳育の復活は緊急の課題

先に教育基本法が改正されました。それは大いに結構な話だと思います。同時に、器の形を変えるだけでは不十分だとも思っています。

私が何よりも不満に思うのは、いまだに政府の中から徳育の重要性を唱える声が出てこないという点です。安岡正篤先生は、「父母憲章」「教師憲章」「児童憲章」「学生憲章」といったさまざまな憲章を残しました。せっかくいいお手本があるのですから、それを大いに活用すればいいと思うのです。

それを実行すれば、日本の教育は間違いなく良くなります。精神の豊かさと物質的な豊かさがバランスよく両立するようになると思うのです。

物質的な豊かさばかりでは駄目だとは誰もが考えると思いますが、精神の豊かさだけがあっても駄目なのです。この二つは車の両輪のようなものです。片方だけでは、バランスのとれた、優れた人間は育ちません。精神だけでも駄目、物質だけでも駄目、人間が幸せに生きるためには、両方を育てなければならないのです。

現代は精神の豊かさがどんどん退廃しています。これから団塊の世代が死んでいけば、ますます失われていくでしょう。そうなったときに、物質的な豊かさのみを維持できるかといえば、それは絶対に不可能でしょう。

中国は経済的にどんどん豊かになってきています。しかし、一方では賄賂《わいろ》が蔓《はびこ》るなど商業道徳が地に落ちています。これでは駄目だというので、もう一度、論語教育を復活させようという風潮が生まれているのです。

日本も同じです。明らかに道徳が廃れているのですから、徳育を復活させる必要があるのです。それはわかりきったことなのに、政府の中からそういう声が出てこないというのは大きな問題です。

ここで徳育を復活しなければ、日本の築き上げた豊かな物質文化も終わってしまうという危機感が私にはあります。今は過去の遺産を食い潰して何とか生き長らえていますが、現状のままでは、それもやがて尽き果てるでしょう。そのときに慌てても遅いということを強く言いたいと思うのです。

最初に精神ありき

愛国心についても同様のことが言えます。単純に、そして本質的に考えればいいはずなのです。自分の国を愛せない人が他の国を愛せるはずがないじゃないか、と。これは、親を愛せない人が妻や夫を愛せるはずはないし、ましてや他人を愛せるはずがないというのと変わらないでしょう。私はそう思っています。

愛国心というだけで拒否反応を示す人がいますが、全くナンセンスです。それが根底で何を意味するのかを虚心坦懐《たんかい》に考えてみたらいいのです。今、戦争をするために愛国心の高揚が必要なのだと考えている人がいるとは思いません。愛国心を失うことで、日本人の精神が衰弱していくという問題が重大なのです。

なぜマッカーサーは日本の精神文化を破壊するように命じたのでしょうか。それは、彼が日本の強さの秘密が武士道を核とした精神性にあると分析し、日本の復活を阻止するためにはそれを骨抜きにするのが得策だと考えたからです。

そして、それは占領軍からすれば、的を射たものだったのです。昔、オリンピックで水泳や体操は日本のお家芸と言われていました。小さな体の日本人が強かったのは、やはり強い精神があったからだと思います。

はじめに精神ありきなのです。自らに克《か》つという克己の精神がなければ、人間は強くなれません。スポーツだけではなく、仕事においてもこれは同様です。

よりよく生きるためになすべきこと

君子は道を謀りて食を謀らず

すぐに会社を辞めてしまう若者がたくさんいます。その理由を私なりに分析すると、「志が足りない」というところに帰結するように思います。世のため人のために何をするべきかという自分の使命や志を考える前に、給料や待遇といった私利私欲を優先して会社を選んでしまったということではないのでしょうか。

自分の会社の社会に果たす使命とは何か、その会社の中で自分はどうあるべきなのか——そういう志を常に確かめる作業をしていく必要があると思います。とりわけ、社会のリーダーたらんとする人、あるいは社会に大きく影響を与える人になりたいという人には、そういう心がけが欠かせません。

たとえば新聞社の例をあげると、アメリカのウォールストリートジャーナルや英国のファイナンシャルタイムズの記者たちは非常によく勉強しています。というのは、変な記事を書けば巨額の訴訟が待ちかまえているからです。

今、アメリカの会社が日本の新聞社をアメリカで名誉毀損で訴えて、二百億の訴訟を起こしています。問題となったのは、日本の感覚で考えれば些細な記事です。仮に勝訴したとしても侮辱罪で終わる程度のものです。ところが、アメリカではそれが異常な金額で訴えられてしまいます。したがって、記者はみんな慎重になるし、勉強しないわけにはいかない、ということになるのです。

なんでも訴えるというのはやりすぎの感もありますが、それを防ぐために仕事に携わる意識が高まるという点ではメリットもあります。特にマスコミのように社会の公器と見なされる会社で働く者には、より高い倫理的価値観や志が必要なのです。

日本の場合、訴えられても大した判決にはならないという司法制度上の問題が、マスコミに甘えを生んでいるようにも見えます。実際、マスコミで働く若い人たちと話をしていても、緊張感のある倫理観や志はあまり感じられません。

「君子は道を謀《はか》りて食を謀らず」と論語にありますが、「給料が高いから、あの会社で働こう」というように、いかに金を儲けて、美味しいものを食べるかに苦心しているのが今の世の中です。それもこれも、すべては道徳の欠如に原因があると私は思うのです。

人間社会の根底にある「仁」

「働く」というのは「傍《はた》を楽にする」こと、つまり社会のために働くことであり、公に仕えることなのです。本書の冒頭にも述べましたが、仕事という言葉の「仕」も「事」も、どちらも「つかえる」と読みます。働く意味は天に仕え、社会に仕えることに尽きると思います。

私は、それを中国の古典から学びました。古典の世界へは父の影響で入ったわけですが、やがて人間として生まれてきた以上、命のある間、どういうふうに生きていくべきかが一番重要な問題なのだと気づきました。それは果たして金を儲けることなのか、地位を得ることなのか、そんなことではないはずだという思いに到ったのです。

それでは、人生の根本義とはいったい何なのかと勉強しているうちに、それは「仁道」ではないかという考えに突き当たりました。「仁」という字は、「にんべん」に「二」、すなわち人が二人と書きます。人が二人いるときに、二人の関係を良好に保とうと思えば、必ず相通じる心というものが必要になります。それがなければ決して意思の疎通はできません。

相通じる心というのは、ある種の一体感です。この心が起こってくると、「恕」が働き始めます。「恕」というのは、我が心の如く相手を思う、すなわち思いやりです。

人間は、あらゆるものによって生かされている存在です。動植物を食べないと、人間は生きてはいけません。それによって生を養っている存在なのです。また、人間は一人では生きられません。周りに人がいて、社会があるから生きていられるのです。それゆえに、どうしても周りの人たちと調和を保つ必要が出てくるのです。

周りから生かされている、社会から生かされている。そういう世界に自分が存在していると自覚すると、そこに他を思いやる気持ち、つまり仁の気持ちが必要なのだと自然と気づくはずです。

人間として生を受けた以上、思いやりの気持ちがなければ生きてはいけないのです。それがなければ社会が成り立たないのです。仁という土台があって、初めて社会は健全に運営されていきます。だからこそ、仁道を究める勉強をしなければならないと思うのです。孟子は人間の性は本来、善であると言いました。しかし、勉強をしないとそれが曇ってくるのです。それが人間の人間たるゆえんです。

だから一回悟ったと思っても、本当に悟っていることにはならないのです。死ぬまで自分の人格の修養を続けていく必要があるのです。経験を得るごとに、もっとそれを深めて、もっと高い境地で人格を磨いていかなくてはならないのだと思います。死ぬまで心の修養をしなくてはならないのが、人間という存在なのです。

親子の情愛の廃れた社会は崩壊する

私は自分の名前に「孝」が入っているからか、「仁」とともに「孝」というものも大切に考えています。今でも朝晩二回、神戸にいる母親に必ず電話をしますし、月に一回は必ず様子を見に行きます。それから父親の命日、その周辺の土日には墓参りを欠かしません。東京にも墓をつくって墓参りをよくしています。

ところが、最近はそうした孝の意識が薄れていっています。小学校で「孝」という漢字を習わないとも聞きました。本当にこの社会はどうなるのだろうかと思います。

最近の社会的現象の中に、児童虐待という問題があります。最初にそうした話を聞いたときは、どうして親が子どもをいじめるのだろうかと、信じられない思いでした。私自身が深い両親の愛情の中に育ってきたから、親が子を虐待するなんてことがあるとは思えなかったのです。

信じられないがゆえに、その親からいじめられる子どもたちがかわいそうでしかたがありませんでした。そういう子どもたちにできるだけのことをしてあげたいという想いが、ＳＢＩ子ども希望財団の活動につながっています。

あらゆる愛情の基本は親子の情愛だと私は信じています。親が子を愛するというのはまさに無償の愛だと思います。また、その無償の愛をずっと感じ続けた子が親を愛するのは人として当然の心情だと思います。

最近の世の中は、その基本的な部分が狂ってきています。その根本的原因は、何度も繰り返しますが道徳が廃《すた》れているところにあると私は思うのです。

親子の情愛という基本を知らずに、どうして妻を、夫を、愛することができるでしょうか。離婚が増えるというのも、そこに遠因があるように思います。愛情のすべての原点である親子の愛情が崩れていっているから、離婚が増え、虐待児が増えるのだと思っています。

したがって、それらをなくしていくためには、親子の情愛という絆をもう一度深める必要があります。そのためには、父親は時には子どもを厳しく叱り、いつも模範になるように行動して子どもを導き、良き相談相手にならなくてはいけません。母親は、子どもが小さなときから精一杯の無償の愛を注がなくてはいけません。

核家族になったとか、隣近所の付き合い方が変わったから虐待が起こるようになったという意見もあります。でも、私に言わせればナンセンスです。問題の核心はそこではないのです。そもそもの原因を探れば、親子の情愛が薄れているところに根本的な問題があると思うのです。

十八、九の頃に読んだ本の中にこういう話が載っていました。中国のある皇帝が次の宰相を誰にするかと考えて、「あいつはどうだろう」と側近に相談したのです。すると、その側近は「あの人は駄目です。すぐ近くに母親が住んでいるのに、この三年の間、家を訪ねたという話を聞いたことがありません。親に孝を尽くせない者が、どうして君に忠することができましょうか」と答えました。それを聞いた皇帝は「なるほど」と納得し、意中の人物を宰相にするのをとりやめたというのです。

孝というのは、信頼の基本ともなるものなのだと思います。

法律が許してもやってはいけないことがある

金融業の大きな社会的役割

野村證券に入って金融の世界を見て、非常におもしろいと思いました。私がおもしろいと思った理由は主に二つあります。

一つは、金融経済のスケールの大きさです。金融経済というのは実物経済よりはるかに規模の大きなものです。実物経済では「こういう財があって、その財はいくらである」という現物が必ずありますが、金融経済はそうではありませんから、ものすごく巨大なマーケットがつくられていくのです。

もう一つは、知的ゲームのおもしろみが感じられたことです。よくマネーゲームといいます。世間一般では、マネーゲームはあまり好ましいものではなく、汗水たらして働くのがいいことなのだという考え方が根強く残っています。しかし、金融の担う役割というのは、世間で思われているような巨利を獲得するために巧妙な駆け引きを行うといった狭い範疇のものではないのです。

たとえば私たちが現在行っているベンチャーキャピタル事業というのは、新しい産業を日本に興すことを目的としています。ブラジル、ロシア、インド、中国といったブリクス（BRICs）と呼ばれる国々が台頭してくる中、資源のないこの島国で一億数千万の人が生きていくためには、新産業の創出が絶対に欠かせません。そういう危機感のもと、新しい産業に集中的に投資するインターネットファンドを創設して新産業を支援する仕組みをつくっているのです。

また、世の中には金が余っているところがあり、他方、金が不足しているところもあります。この余っている資金を不足しているところに回していくというのも、私たちの仕事です。資金が不足しているところに金が回らなければ事業はストップしてしまいます。個人であれば自己破産しかねません。そこで私たちが仲介役となって、資金の流れを作っているのです。それによって社会に活力を生み出すことができるのです。

このように、金融業は世の中のためになる働きがたくさんできる仕事です。そこに私も惹かれたのです。

高い倫理観なしに仕事はできない

ただし、金融の仕事を行う者には注意をしなければならない点もたくさんあります。なぜならば、金融業ではやろうと思えば悪いこともたくさんできるからです。だから昔から、金融の世界に従事する者にはより高い倫理観が必要だと言われてきたのです。

この間のホリエモン事件のときにもそれを実感しました。彼は資本市場という公共財を利用して、法律に触れないからと言って一対百の株式分割を行いました。

株式分割をすると一時的に市場に株が不足した状態が生じ、それによって株価が上がるのです。その上がったところで、株式交換によって企業を買収する。この方法でやると、買う側にとって非常に有利な買収ができるわけです。しかし、買われる側はたまったものではありません。一時的な株不足が解消すればまた株価は大幅に下落するわけですから。これは法律に違反してはいませんが、資本市場の悪用と言うしかありません。

このように、金融の世界には、法律に触れなくても市場を悪用しようと思えばできることがたくさんあります。そういうことが私にはわかりすぎるぐらいわかっているので、そういう汚い手を使うことは一切駄目だと社員にもはっきり言っています。こうした倫理観は、金融業をやっていくうえで絶対に必要なのです。法律に触れなければ許されるというわけではないのです。金融の世界で定まっている法律というのは、いつも後手に回っています。何か事件が起こってから、ようやくそれを禁止しようという方向に動くのです。これは金融の世界だけではなく、他の世界でも同様かもしれませんが、常に法律は現実の後追いとなっています。

したがって、どうしてもそこに倫理的な価値観というものが必要になるわけです。法律に抵触しないとわかっていても、アンフェアな手法はとらないという高い倫理観が求められるのです。

商売にも道がある

シェークスピアの戯曲『ヴェニスの商人』では、ユダヤ人の金貸しシャイロックが商人アントニオに金を貸す際に、期限までに返せなければアントニオの体から一ポンドの肉を与えなければならないという証文を書かせます。そしてアントニオが約束通りに金を返せないと、シャイロックは契約に従って肉を要求します。しかし、「肉は切り取ってもいいけれど、血や髪の毛など契約書に書かれていないものは何一つ切り取ってはいけない」と言われ、ついに諦めざるを得なくなるのです。

これは、契約によって肉を切ろうとした金貸しシャイロックの狡猾《こうかつ》なやり方を逆手にとって、契約に書かれていないから肉以外のものは切ってはいけないとやり返したわけですが、このように法律を唯一無二のものとして考えると、それによってしっぺ返しを食うこともあるわけです。

江戸時代の心学者石田梅岩は、『都鄙《とひ》問答』の中で「売利は士の禄に同じ」と言っています。この梅岩が出てくるまで、日本では商人の身分は最も下に置かれ、商人の儲けは卑しいものだと考えられていました。それほど狡猾な手段を弄してあくどい金儲けをするものが多かったのです。

梅岩は、利益を得ることの正当性を主張して、商人が金を儲けることは否定しませんでした。ただ、それは道義にのっとった正しい手段で行われなければならない、商売にも道があるのだ、と教えました。そのために心を高める必要があると言って、心学を提唱したのです。

今の世の中は儲けたもの勝ちという風潮が蔓延《まんえん》していますが、商売とは決してそういうものではないのです。高い倫理観のもと、正しいやり方で行うべきものなのです。それを安易に考えて策を弄するようなやり方ばかりしていると、必ず痛い目に遭う。まさに「天網恢々、疎にして漏らさず」なのです。

一人前の大人となるために必要なもの

知識・見識・胆識を持つ

自分のやろうとしていることが果たして正しいことなのか。それを判断するときに求められるのが見識です。見識とは、物事が正しいか間違っているかという判断がつくことだと思います。

この判断をきちんとつけるためには、正しい知識が必要になります。それに加えて、節操というものがなくてはいけません。

節操がないと、すぐに右往左往してしまい、自分の主義主張を簡単に変えてしまうことになりかねません。それでは正しいか間違っているかの判断はとてもできません。

節操というのは本当に大事なものです。自分の主義・主張・立場を常に明確にして、何が起ころうとそれを守り抜く。そうした節操を持つためには、自分の人生観を明確にしておく必要があります。

つまり、節操を持つことは、志や天命、信仰や信念ともつながっているのです。それらの総体が、その人の人生観となるわけです。

そう考えてみると、節操がある人というのは信仰をしている人の中に多く見られるように思います。あるいは、きちんとした信念を持っている人に節操がある人が多いようです。

十分な知識や節操を持つというのが見識を身につける一つの前提になります。それとともに、きちんとした倫理的価値観を持つことも大切です。知識や節操、倫理的価値観があって初めて、物事の善悪がわかるのです。そういう判断力を持った人を「見識のある人」というのです。

ただし、見識があるだけでは、まだ人間として十分とは言えません。

世の中を見渡すと、まともなことを言っているなと思う人はたくさんいます。しかし、案外、口だけという人も多いようです。そういう人は、自分への批判の声が高まると、時として黙り込んでしまいます。

見識は実行する勇気を伴って初めて生きてくるのです。誰がどう言おうと関係ない、世の中の毀誉褒貶《きよほうへん》は一切関係ないというスタイルで、自分が正しいと思うことを堂々と行っていく実行力が大切なのです。その実行力が胆識というものです。知識、見識に加えて、この胆識を持たなくては本物の人物とは言えないのです。

知識は簡単に得ることができます。しかし、そこで満足していたのでは、到底本物にはなれません。人によっては知識を悪用したりもしますから、そんな知識なら持たないほうがいいということになりかねません。

やはり知識を正しい方向に使う見識、そして、見識を実社会で実行する胆識まで揃って、ようやく人物と言えるのではないかと思うのです。

ピンチは人間を磨く絶好のチャンス

この世の中を生きている限り、いつもいいときばかりとはいきません。必ず、逆風にさらされるときがやってきます。そういうとき、誰でも多少は心が弱くなってしまうものです。

しかし、何が起こってもピンチだとは思わないことです。私自身の経験を振り返ってみても、本当に崖っぷちに身を置いていることが多くありました。戦々恐々として、薄氷を踏むようにそろりそろりと歩くような体験を何度もしました。逆に、そういう中を生き抜いてきたからこそ、自信がついてきたのです。

ピンチがやってきたら、それをありがたいと思えばいいのです。「天が我に艱難辛苦を与え給うた」と喜ぶくらい、積極的にそれを取り込んで、必死になって乗り越えようとするところに人間の成長があるのです。

問題が難しければ難しいほど、人間は必死になります。それを乗り越えるために、ありとあらゆる手を考えます。そういう体験を通して、人は自分の知恵を磨くことができます。つまり、ピンチとは知恵も人も磨ける絶好のチャンスなのです。

自分一人がピンチなのではない

それとともに大切なのは、自分一人だけがピンチになったわけではないという気持ちを持つことです。

たとえば、私がピンチに陥ったとしたら、それは会社全体がピンチになっているのです。私だけがピンチなのではありません。そう考えると、「千五百人もの社員の生活がかかっているんだ。ここでなんとか頑張らなくてはいけない」という前向きの気持ちになれます。まさに「憤」が湧き上がってくるのです。

ピンチのときこそ、自分一人の狭い世界だけでものを考えるのではなく、視野を広くすることが大切です。総理大臣ならば、自分がこのピンチを切り抜けなかったら日本国民が路頭に迷ってしまうと考える。一家の亭主ならば、自分がこのピンチを切り抜けなかったら家族が路頭に迷うのだと考えることによって、負けじ魂に火がついて、ピンチがやってきたら、それをありがたいと思えばいいのです。……問題が難しければ難しいほど、人間は必死になります。それを乗り越えるために、ありとあらゆる手を考えます。そういう体験を通して、人は自分の知恵を磨くことができます。つまり、ピンチとは知恵も人も磨ける絶好のチャンスなのです。

火事場の馬鹿力が発揮できるのです。

「君子固《もと》より窮《きゅう》す。小人窮すれば斯《ここ》に濫《みだ》る」と言うように、たとえピンチに陥っても君子は乱れることがありません。それどころか、いよいよ自分の信ずる方向に向かって、より以上の勇気を持って動いていくのです。

このように、困難を堂々と受け止めるのが大人のあり方なのです。

その意味では、ピンチとは自分が大人か小人かを試す絶好の機会だと考えることもできます。どれだけ心が練れているか試してやろうというぐらいの気持ちで臨めばいいと思います。

私たちは艱難辛苦に感謝するべきです。絶体絶命だからこそ、思わぬ力が出たり、知恵が閃《ひらめ》いたりするのです。艱難辛苦は人間の成長を助けてくれているのです。

そういう意識を大いに高めて、日々責任を感じながら働けばいいのです。そうすれば必ずや大きな力が湧き出してきて、ピンチをチャンスに変えることができるのです。

順風のときの心構え

ピンチのときにどういう態度で立ち向かうかというのと同じく、順調なときのあり方というのも大切です。実際、順風満帆に行っているときに気を緩めて失敗するというケースは、歴史の中でも日常生活の中でも数限りなくあります。得意の絶頂にいるときは、むしろ驕《おご》りや隙が出たりして、落とし穴にはまりやすいのです。

君子というのは危機に瀕して乱れず、また順風満帆にいっているときも驕り高ぶり得意になることのない人を言います。順境にあっても逆境にあっても、いつも淡々と粛々と自分の天命に向かって進んでいくのです。そういう境地に自分を高めていくのが人間学の勉強、修養です。

松下幸之助さんは、「全部運が良かったと思いなさい」という至言を残されています。自分の努力によって成功したのではなく、ただ運が良かっただけだと考えなさいというわけです。自分の力で成功したと思うと、どうしても驕りが出たり、野心が出たりします。しかし、ただ運が強かっただけだと思うと、そういう余計なものが出る余地がありません。

また、もう一つ大事なのは、前にも述べた慎独という心構えです。自ら戒め、独り慎む。これをやり続けることで、驕る気持ちを抑えていくような修養を続けることが大切なのです。

命ある限り修養は続く

自分がある種の天命・天職と思えるような仕事にひたすら打ち込んで、それを楽しむという境地に到るまで続けられたなら、それは最高の人生だと思います。

それは大きな仕事ではなくても、その人が満足できればいいのです。これは天命を知り、それを知るがゆえに楽しみ、そして憂うることがないという楽天知命の世界です。それが結局、生きがいというものにつながっていくのでしょう。

孔子にしても、歴史に名を残すような大きな仕事をすることを推奨してはいません。たとえば、孔子は自らの志を弟子から問われ、こう応えています。

「老者《ろうしゃ》は之《これ》を安んじ、朋友《ほうゆう》は之を信じ、少者《しょうしゃ》は之を懐《なつ》けん」

つまり、年寄りを安心させて、同胞から信用されて、そして若い子どもたちからは慕われる、そうなるのが自分の志だと言っているのです。

このように、志というのは決して難しいものではなく、誰でも持てるものなのです。公のために自分ができることを生涯通じてやり抜いて、あとに続く人々への遺産にする——これが志というものです。

遺産といっても、何も歴史的に名を残す必要はないのです。自分がしっかりとした人生修養をしていく中で学んだものを次代に引き継げるようになれば、それだけでもありがたいことです。

私は齢五十六まで、ただ修養しようという気持ちをずっと持ち続けて今日までやってきました。これからもその学の道を探求し続けて、私心や我欲のために曇りがちな自分の明徳を曇らないようにしていこうと思います。そして何事があっても「天を怨《うら》みず、人を尤《とが》めず」の気持ちで、すべてを自分に帰着させてやっていくしかないだろうと思っています。

志というのは決して難しいものではなく、誰でも持てるものなのです。公のために自分ができることを生涯通じてやり抜いて、あとに続く人々への遺産にする——これが志というものです。

本当にそう思っているのかと言われることもあります。しかし、他人がどう見ようとどうでもいいことです。すべては自分の問題です。そう考えていたら、世の中の毀誉褒貶も一切気にならなくなりました。この件に関してはこう考えるのが正しいと思えば、いつでも堂々と話ができます。

「君子は諸《これ》を己に求む。小人は諸を人に求む」(『論語』)
「大人《たいじん》なる者あり。己を正しくして、而《しこう》して、物正しき者なり」(『孟子』)
と中国古典にあります。自分を正しくしてさえいれば、その至誠の徳はすべての者を感化するという意味です。

すべては自分なのです。悔いの残らないように生きるのも、悔いばかり残る人生にしてしまうのも、すべては自分次第です。晴れ晴れとした人生を送って命を終えたいと思うのなら、自分自身に打ち克って、自分の天命をまっとうするために必死で努力すればいいのです。それができる人間のみが仁道を完成しうるのです。

そのためには非常に時間がかかりますし、努力も求められます。しかし、自分を高めるための時間を惜しみ、努力を厭《いと》っているようでは、結局、この世に何も残せはしません。

それでは人間として生まれてきたかいがない、と私は思います。せっかく与えられた命です。なぜ自分に命が与えられたのか、その意味をぜひとも深く考えていただきたいと思うのです。そして、最後まで命を燃やし続けて、意義のある一生を送っていただきたいと思います。

〈著者略歴〉

北尾吉孝（きたお・よしたか）

1951年1月21日、兵庫県生まれ。74年、慶應義塾大学経済学部卒業。同年、野村證券入社。

78年、英国ケンブリッジ大学経済学部卒業。89年ワッサースタイン・ペレラ・インターナショナル社（ロンドン）常務取締役。

91年、野村企業情報取締役。92年、野村證券事業法人三部長。

95年、孫正義氏の招聘によりソフトバンク入社、常務取締役に就任。

現在、証券・銀行・保険等の金融サービス事業や新産業育成に向けた投資事業、医薬品開発等のバイオ関連事業などを幅広く展開する総合企業グループ、SBIホールディングス代表取締役社長。公益財団法人SBI子ども希望財団理事及びSBI大学院大学の学長も兼務。

『強運をつくる干支の知恵』『ビジネスに活かす「論語」』『修身のすすめ』（以上、致知出版社）、『中国古典からもらった「不思議な力」』（三笠書房）、『進化し続ける経営』（東洋経済新報社）、『人物をつくる』『日本人の底力』（以上、PHP研究所）など著書多数。

何のために働くのか

平成十九年三月十二日第一刷発行
令和五年十一月十日第二十五刷発行

著者　北尾 吉孝
発行者　藤尾 秀昭
発行所　致知出版社
〒150-0001東京都渋谷区神宮前四の二十四の九
TEL（〇三）三七九六―二一一一
印刷　㈱ディグ　製本　難波製本
落丁・乱丁はお取替え致します。　（検印廃止）

ISBN978-4-88474-773-2 C0034
ホームページ　https://www.chichi.co.jp
Eメール　books@chichi.co.jp